УДК 792.07(47)+791.43(47)+929Ширвиндт
ББК 85.334.3(2)6-8+85.373(2)6-8
  Ш64

Фото автора на обложке: Юрий Рост
Иллюстрации: Наталья Колпакова

Ширвиндт А. А.
Ш64   В промежутках между. — М. : КоЛибри, Азбука-Аттикус, 2017. — 192 с., ил.

ISBN 978-5-389-13616-8

Вся наша жизнь — это существование в промежутках между. Между юбилеями и панихидами, между удачами и провалами, между болезнями и здоровьем, между днем и ночью, вообще, между рождением и смертью возникает пространство, когда человек вынужден подумать. А когда начинаешь думать, то рефлекторно хочется поделиться чем-нибудь с кем-нибудь, кроме самого себя…

Александр Ширвиндт

УДК 792.07(47)+791.43(47)+929Ширвиндт
ББК 85.334.3(2)6-8+85.373(2)6-8

Между прочим

Вся наша жизнь — это существование в промежутках между.

Между юбилеями и панихидами, между удачами и провалами, между болезнями и здоровьем, между днем и ночью, вообще, между рождением и смертью возникает пространство, когда человек вынужден подумать. А когда начинаешь думать, то рефлекторно хочется поделиться чем-нибудь с кем-нибудь, кроме самого себя. Иллюзия значимости бросает в пучину ностальгии. Поэтому данная так называемая книга — это робкая попытка автонекролога.

Стариков тянет на сантименты. Сантименты — это воспоминания. Воспоминания — это или склеротический винегрет, или выдуманная нынче «историческая правда».

Моя подруга и помощница Лиана Бединадзе придумала подарить к 80-летию начальника (то есть меня) поздравительную расшифровку его (то есть моей) телефонной книжки. Ход не новый, но подвиг заключался в добывании поздравлений — чтобы человек искренне прокомментировал нахождение себя в алфавитном порядке в моем ветхом телефонном справочнике.

Любимое издательство предложило мне опубликовать эти поздравления. Я бурно заартачился и прикинулся скромным, но меня стали успокоительно убеждать, что предложение исходит не от меня, и это алиби. Тогда мне подумалось, что, во-первых, необходимо успеть ответить друзьям, которые стали стремительно уходить (многим ответить уже не успел), а во-вторых, зачем действительно пропадать добру. Добру во всех смыслах. Преувеличенной доброте, любви ко мне и добротности мыслей, юмора и разоблачений в мой адрес. Чтобы не связываться с почтой или, не дай бог, с айфонами, решил прокомментировать оценки друзей.

Итак, открываем юбилейную телефонную книжку.

Между нами

Юз Алешковский

На склоне дней и лет многое в жизни становится ясным, хотя ум и душу продолжают настырно доставать неразгадываемые загадки некоторых замечательных явлений.

Не перечислить профессий, должностей и призваний персонажей, всегда готовых быть выраженными комедийно, иронически, сатирически, полагаю, и трагически актером Ширвиндтом — всенародно известным гением перевоплощения.

Единственно, каких ролей, исполняемых им, почему-то ну никак, ну никогда не мог я себе представить — это ролей душителя свободы, или отвратно злобного тирана, или туповатого, самовластного, изощренно хитрого деспота.

Сегодня меня вдруг осенило. Дело-то, думаю, в том, что основная стихия актерского существования Юбиляра, в которой чувствует он себя как вольная рыба в воде, а рыбак на берегу речном или озерном, — это стихия Смеха!

Да, да, именно Смеха, неподвластного ни одному из зело сурьезных тиранов, Смеха бесстрашно-смелого, смею думать, почитаемого Божествами Жизни и Искусств гораздо глубже и охотнее, чем все остальные качества и способности Человека, еще и потому, что Смех есть явление поистине непредвиденное, точнее, Он единокровное

дитя подлинной Свободы, даже когда звучит на пустом месте.

И, если бы не Он, не многоликий Смех, связанный в нашем сознании не с клоунадной, не со скоморошьей, не с анекдотичной манерой «лишь бы насмешить», а с загадочным свойством дара внешне и внутренне аристократичного Ширвиндта, полным молчанием иногда повергающего в хохот зрителей и друзей, — если бы, повторюсь, не Он, не многоликий Смех, с чудотворной веселостью оркестрованный Духами Любви, Веры и Надежды, то во многом чудовищно страшная атмосфера жизни прошлого и начала нынешнего века — жизни, попахивающей коллективным суицидом, — ей-богу, была бы близкой к неотвратимой невыносимости.

Я

Как редкая птица долетит до середины Днепра, так редкий читатель доплывет до конца Юзовой фразы. Но кто осилит, вдохнет полной грудью уже на том ее берегу, ощутит наслаждение, приближенное к половому, и затихнет расслабленно перед новым вожделенным нырком в прекрасное. Я его люблю и пользуюсь взаимностью, что меня дико возвышает.

Юзик живет в далекой Америке и, несмотря на каждодневно меняющиеся санкции в международных отношениях, находит в себе силы и деньги звонить мне и долго говорить, что он соскучился. Я пытаюсь в ответ звонить ему, несмотря на те же санкции и курс рубля, но не успеваю, потому что первым звонит он.

Аркадий Арканов

*Шуре — Александру Анатольевичу, сыну
Раисы Самойловны, мужу Таты, отцу Миши,
просто артисту — от одного знакомого.*

Шура! Я немногословен.
Я тебя поздравить рад.
Пожелать хочу здоровья!
(Так банально говорят.)

В этом суть любого тоста,
Но здоровым быть непросто,
И как психофармацевт
Я придумал свой рецепт.

В жизни надо быть культурным.
Это часто стоит крови.
Легче словом нецензурным
Сохранить свое здоровье.

Это подлинная мука,
Если рядом шьется сука,
Лезет в душу, докучает…
А пошлешь — и полегчает,
Хоть порой тяжеловато
Выражаться «губерматом».

И без неприличных слов —
ШУРА! ШУРИК! БУДЬ ЗДОРОВ!

Докторишка Аркан

Я

Трогательный, незаменимо-необходимый, болезненно-скромный, красивый, музыкальный, верный во всем, не-суетливо-проникновенный, внешне вечно невозмутимый и оттого более ранимый Аркаша Арканов…

Как-то мы писали очередную программу и должны были куда-то лететь — не помню, то ли к композитору Тофику Кулиеву в Баку, то ли к музыканту Константину Певзнеру в Грузию. Аркан с Женечкой жили тогда в малюсенькой однокомнатной квартирке на первом этаже дома на Садовой-Самотёчной, плечом к Театру кукол. Я на такси заезжаю за соавтором, влетаю в жилье и вижу, что Аркан спит на кухне, на полу под одеяльцем, выдворенный Женечкой из комнаты за очередную провинность. Я кричу: «Аркан! С ума сошел?! У нас самолет через час!» Он говорит: «Я готов» — и скидывает одеяло. Он — в концертном костюме, галстуке и лакированных ботинках. У него всегда была готовность № 1.

Чем только мы с Арканом не грешили: в полувековой совместной биографии — театр, капустники, эстрада, цирк, юбилеи, вино, бега, трубки. Все параметры жизни у нас были идентичны, кроме одного: Аркан никогда не сидел за рулем. Его возили жены и я.

Давал я как-то интервью. И почти на каждый вопрос о друзьях отвечал: «Ныне покойный…» Веселенькая беседа получалась.

Кто-то придумал, что о покойниках либо хорошо, либо ничего. А о живых?

Круг стремительно сужается. Сейчас у меня три трубки Олега Янковского, четыре — Гриши Горина, две трубки Аркаши Арканова. Не хочу больше трубок.

Светлана Безродная

Маска, я тебя знаю... Да, я знаю, что на самом деле скрывается за этой столь всем хорошо знакомой и столь всеми любимой маской скептика, мачо, коему мнится, что ему заранее ведомы все превратности судьбы, все радости и печали, выпадающие на нашу долю, все слабости человеческой природы...

Никогда не забуду тебя, взлохмаченного, в наспех наброшенном кимоно, когда ты вместе с еще маленьким в ту пору внуком Андрюшкой прямо среди ночи на своем джипе в нашем родном поселке НИЛ примчался спасать меня, задыхающуюся, чуть не теряющую сознание, с застрявшей рыбьей костью в горле. Сгреб в охапку, влил в горло лимонный сок. Увез в Истру, в больницу, — спасал.

Да, ты по натуре — спасатель. Блистательный актер и режиссер, ты так же тихо приходишь на помощь своим молодым коллегам, когда у них не ладится с постановкой нового спектакля. А потом, в сущности, поставив его, отходишь в сторону и даже не выходишь на премьере на поклоны, отдав все лавры им, дебютантам. Ответ у тебя один и тот же: «Ну, помог, на то я и худрук, чтобы помогать». Да, худрук. А еще — Учитель с большой буквы. Потому они, молодые, по сути, тоже твои дети, называют тебя «папа Шура». В этом — любовь и признание, высшая награда для наставника.

*Светлана Безродная
и подписывающийся
под каждым
словом
Слава Черный*

Я

Меня с раннего детства окружают скрипачи. Первым меня окружал папа, безнадежно пытавшийся приобщить сына к музыкальному клану. До 6 класса меня держали в музыкальной школе, а потом весь ее коллектив пришел к папе и со слезами на глазах сказал, что, несмотря на огромную любовь к нему как к педагогу, человеку и отцу, вынужден прогнать меня к... Последней каплей стал экзамен по сольфеджио, на котором я с удивлением узнал от педагогов, что в музыке существуют два ключа — скрипичный и басовый. Папа сдался. Слезы в семье. На время скрипка исчезла. Потом я приблудился к поселку НИЛ — «Наука, искусство, литература». За забором оказалась семья Ойстрахов. Игорь Ойстрах пиликал целый день и тем самым страшно возбуждал папу и мою скрипичную ретронесостоятельность. Потом Игорь уехал, а я переселился в другой дом в этом же поселке, но тут, как назло, появилась Света Безродная, которая пилила круглосуточно. Кругом пили, орали, жгли костры, катались на автомобилях и бессмысленно ржали, и над всем этим как жуткая укоризна звучали гаммы. Светочка вернула меня к инструменту. И даже заставляет в дни ее шикарных вечеров со сцены Концертного зала имени Чайковского пропиликать что-то на скрипке — очевидно, чтобы публика поняла, что я дико музыкален и, кроме своего основного производства, которое находится за стенами зала Чайковского, — Театра сатиры, еще прекрасно владею несколькими нотами.

Между тем

Очередная, пусть некруглая, но все равно святая дата — годовщина Дня Победы. Все пустынней скверик у Большого театра. Все меньше головной боли у префектов по поводу поисков достойного жилья для ветеранов, все меньше белых пятен для поисковых энтузиастов безымянных захоронений.

О войне столько написано, снято, сыграно, документально придумано, что найти щелочку в воспоминаниях трудно. Но она все-таки есть. Например, артист на фронте. Не артист-солдат, которых тоже было очень много, а артист во фронтовых бригадах. На всех фронтах Великой Отечественной войны «гастролировали» такие бригады. Судьбы их драматичны, а порой и трагичны.

Уникальный театральный деятель прошлого века Борис Михайлович Филиппов, возглавлявший в лучшие годы Центральный дом работников искусств, а потом, до самой своей кончины, курировавший Центральный дом литераторов, создал литературный мемориал артистам-фронтовикам в книге «Музы на фронте». Там скрупулезно, трогательно, а главное — стопроцентно достоверно описываются одиссеи актерских бригад — весь спектр их военных передвижений.

Борис Михайлович создал летом 1941 года первую такую бригаду. Они были очень мощными по составу и разнообразными жанрово. Например, одна бригада целиком состояла из ведущих артистов Большого театра. Ее возглавляла великая Валерия Барсова. В составе были Лепешинская, Мессерер и т. д.

Замечательный чтец Сергей Балашов с бригадой дал более 600 концертов на фронте. Кстати, очень поучительно сегодня напомнить шоу-бизнесу, что в те трудные времена артисты на свои деньги строили военную технику. Летали самолеты «Леонид Утесов», «Клавдия Шульженко», а танк «Сергей Балашов» дошел до Берлина.

Я говорю об этом не понаслышке. Во-первых, по старости, а во-вторых, потому что одной из актерских бригад руководила моя матушка. В составе бригады были великий актер и чтец Дмитрий Журавлев, замечательная самобытная исполнительница русских песен Лукьянченко, юмористы Тоддес и Домогацкая, советско-китайский иллюзионист Ван-Тен-Тау и мой отец. Вел концерт седовласый высоченный аристократичный джентльмен с тростью с набалдашником из слоновой кости и с фамилией Про. Филиппов пишет в книге: «Одним из музыкантов, связавших свою жизнь с фронтом, был А. Г. Ширвиндт. Единственное, что его волновало, — это сохранность хрупкого инструмента — скрипки, без которой его пребывание в бригаде теряло бы всякий смысл. При тряских переездах по проселочным дорогам он прижимал футляр со скрипкой к груди, как любимого ребенка».

История со скрипкой имела свое продолжение. Папа не только играл соло во фронтовых концертах, но также из-за отсутствия фортепиано аккомпанировал балету и оперной певице Деборе Пантофель-Нечецкой. И вот во время одного из переездов в машину с артистами попал большой осколок снаряда и раздробил папину скрипку. Когда артисты приехали на место концерта, то доложили начальству о возникшей ситуации и невозможности выступления. Армейское начальство (а это оказался — ни больше ни меньше — штаб Конева) сказало подчиненным: «Достать скрипку». Шел 44-й год, трофеев было уже достаточно. Через некоторое время по приказу Конева привезли три скрипки, папа выбрал одну, и концерт состоялся. После войны папа преподавал и играл на этой скрипке в оркестре Большого театра. Инструмент был мастера Гобетти с удивительным звуком.

Прошли годы, и папа показал скрипку профессору Янкелевичу, своему приятелю, который определил, что в нижней деке завелся червячок и скрипка погибает, надо срочно что-то делать, если еще не поздно. Скрипка оказалась у Янкелевича. Не знаю, боюсь клеветать на большого мастера, но, так или иначе, червячка (если он был), очевидно, вывели, и скрипка попала впоследствии в руки ученика Янкелевича — Владимира Спивакова. Папа был бы счастлив, если бы узнал об этом.

И вот в Большом зале консерватории состоялся тысячный концерт «Виртуозов Москвы». Незадолго до этого события мне позвонил Володя Спиваков и сказал, что настало время публично отнять у него скрипку и как раз подвернулся удачный случай — юбилейный концерт. Мы вышли с незаменимым Державиным на сцену Большого зала, я отнял у Спивакова скрипку, рассказал эту душещипательную историю, он подтвердил, что скрипка моя, и я ее схватил и сыграл десять нотных строк из одного концерта Вивальди (кульминации моего скрипичного образования) в сопровождении «Виртуозов Москвы», правда, при дирижировании Державина, что несколько снижало трогательность момента.

Бедный мой папа! Мог ли он себе представить, что не пройдет и семидесяти лет и его непутевый сын будет играть на трофейной скрипке в Большом зале консерватории в сопровождении «Виртуозов Москвы» перед уникальной по составу аудиторией, в присутствии первого президента России Ельцина и Жванецкого…

День Победы — великий и, пожалуй, самый неподозрительный праздник нашей Родины. Время стирает память, тускнеет прошлое, а иногда очень хочется искренне осветить былое и напомнить о чем-то и о ком-то, кого знал и обнимал 9 Мая.

Когда круглогодичного ажиотажа с расширением тротуаров еще не было, а что-то в благоустройстве Москвы для наглядности надо было обозначить, перетаскивали Пушкина через улицу Горького туда и обратно. Дорого, бессмысленно, но — деятельность. Только позже я понял, зачем его передвигали: его помещали поближе к ресторану Дома актера, что до пожара находился как раз на углу улицы Горького и Пушкинской площади.

Ресторанов в Москве того времени насчитывалось немного, работали они до 22–23 часов, попасть в них оказывалось дикой проблемой, и поэтому кабаки при домах интеллигенции были элитны, вожделенны и маняще недоступны. Работали они чуть-чуть дольше обычных, вход туда (официально) был только для членов союзов (кино, архитекторов, артистов, композиторов и так далее). Судорожно разгримировавшись после спектакля, актер стремглав летел на Пушкинскую площадь, чтобы всеми правдами и неправдами проникнуть в переполненное родное заведение и успеть на свои скромные пять рублей выпить водки под знаменитую капусту ресторана Дома актера.

В дверях ресторана стоял двухметровый швейцар Дима — непреклонный цербер, мужественно закрывавший грудью амбразуру входа, дабы в святая святых мельпоменовского алкоголизма не просочилась инородная пьянь. Кем и как только ни обзывали стража жаждущие проникнуть внутрь, чем только ни грозили, он стоял насмерть. Конечно, кое-какие поблажки он (при своей мизерной швейцарской зарплате) делал, но сугубо выборочно, в меру и стыдливо. И вот как-то 9 Мая (год забыл) мы ринулись после спектакля в Театре имени Ленинского комсомола, в котором я тогда служил, в родную ресторанную обитель — благо там рядом, чтобы успеть отметить великий праздник. В вестибюле была непривычная тишина, толпа жаждущих смирно жалась к дверям и взирала на Диму, стоявшего на своем посту в швейцарском кителе, на котором сиял (что там Брежнев) иконостас военных орденов и медалей. Парадокс и удивление.

Вот Евгений Весник. Любимый Женечка. Казалось бы, совершенно оголтелый богемный персонаж, фонтанирующий хулиганством, бесконечной иронией и бесшабашным безумием. Прошел солдатом всю войну, имел огромную «копилку» наград и иногда с необыкновенной исторической достоверностью и негодованием разбирал те или иные бездарные и трагические просчеты полководцев. Он мне рассказывал, как, едучи со съемок из Ленинграда, по недосмотру адъютантов оказался вдвоем в купе с главнокомандующим войсками одного из наших фронтов. Маршал признал актера и, поняв, что он фронтовик, разрешил ему и себе скушать пару-тройку бутылок коньяку. Под фронтовые воспоминания.

— Объясните — вот вы же наверняка знаете, — умолял Весник. — Курская дуга! Ведь если бы не просчет с танковой атакой и вовремя зайти…

— А х… его знает… — ответил маршал.

— Вот вы же большой профессионал, — не унимался Женя. — Скажите, как образовался Вяземский котел? Если бы не с левого фланга, а с правого пошли танки, учитывая, что…

— А х… его знает… — разъяснил маршал.

— Я уж не говорю о Бресте — ну зачем, зачем надо было…

— А х… его знает… — уточнил маршал.

И так почти всю ночь. Утром, по прибытии на Ленинградский вокзал, причесанный водой полководец отозвал Женю в сторону и строго сказал:

— Слушай, Весник, я тут ночью что-то разоткровенничался, смотри мне, чтоб ни-ни!

Блистательный конферансье Борис Брунов служил на Тихоокеанском флоте. Сначала был матросом, а потом — в силу обаяния и артистизма — был переведен заведующим клубом флота, где в то время отдельно для командования крутили трофейные фильмы. Боря среди дня тихо проводил друзей на балкон зала, они ложились на пол и до начала сеанса лежали не шелохнувшись. Когда внизу рассаживался генералитет и гас свет, они тихонько поднимались и смотрели кино. Однажды Боря таинственно сказал: «Сегодня один раз будет показан документальный фильм "Смерть Риббентропа", ложитесь заранее, чтоб вас никто не видел». Когда погас свет, на экране возникли титры «Жизнь Рембрандта».

9 Мая Боря вел концерты, заменив привычное канотье бескозыркой и матроской, увешанной орденами.

Каждый год 9 Мая на даче Гердтов в Пахре собирался узкий круг фронтовиков. Они никогда не говорили о войне. Они о ней долго молчали.

У меня 9 Мая на столе стоят стопочки водки, покрытые кусочками черного хлеба. Это рюмки моих ушедших друзей-фронтовиков: Зямочки Гердта, Пети Тодоровского, Миши Львовского, Булата Окуджавы — и моего любимого двоюродного брата Бобки. Я с ними чокаюсь и выпиваю.

Между нами

Владимир Васильев

Для всех друзей ты — просто Шура.
Твоя внушительная стать, авторитетная фигура
Для нас — лишь повод срисовать тебя живьем
                                   с твоей натуры.

Друзьям ты, Шура, знаешь цену — с годами нам
                                   они дороже,
И, несмотря на перемены, на молодых еще похожи.
Не цифра красит человека, твой юбилей почти
                                   как шутка.
Живи хоть до скончанья века, и пусть не гаснет
                                   твоя трубка!

Я

Мы обожаем расхожие выражения, которые почему-то становятся истинами. «Если человек талантлив, то талантлив во всем». Бред. Я знаю нескольких гениев, не способных вбить гвоздь или сварить яйцо. Бывают, правда, исключения. Это Володя Васильев.

Нас замучили «минутами славы» и новорожденными, которые лучше всех. Двухлетний ребенок лучше своих родственников перечисляет всех акул и наизусть читает

Рисунок Владимира Васильева

«Петербург» Андрея Белого. Эксперимент опасный. Логичнее было бы немножко подождать и посмотреть, что станет с ними к 30-летнему возрасту и не сравняются ли они в интеллекте со своими родителями.

Есть профессии, пребывание в которых лимитировано. Например, спорт и балет. Если говорить о детском театре, то это травести (актрисы, играющие мальчиков и девочек). Хотя я знал актрис, которые играли детей до момента, когда сами впадали в детство.

Я старый беговик — по молодости прикипел к ипподрому и спустил на бегах все деньги, предназначавшиеся для кормления семьи. У наездников и жокеев существует какой-то критический срок пребывания в профессии и есть ритуал прощания с дорожкой. Очень трогательный и грустный. Так вот, прощаться с дорожкой надо вовремя.

Володя Васильев — комплекс фонтанирующей талантливости — вне времени, возраста и пространства применения. Кончился, увы, срок гениального танцовщика — ни желчи, ни брюзжания, вообще никаких признаков старения. Он балетмейстер. Он поэт. Он художник. Он очень специфический телерассказчик (без вранья и сюсюканья). Он страстный автомобилист и путешественник. Он однолюбиво предан Кате Максимовой и их родному поместью в Щелыкове.

Вера Васильева
Шурочка!
Высокочтимый Александр Анатольевич!
Вы так хороши, что в жизни хочется быть как можно дальше от Вас, а на сцене — как можно ближе к Вам. За все благодарю!

Я

Знаменитый портрет Марии Ермоловой художника Серова, на котором гордо стоит актриса, — это абсолютное ретро. Сейчас при помощи современной компьютерной техники к этой замечательной стати можно приделать голову Веры Кузьминичны. Потому что она — эталон артистизма, преданности театру, тонкости, дипломатичности и доброты.

Между тем

С каждым днем желаний и возможностей для разврата и оргий все меньше, а ту дозу алкоголизма, автомобилизма и рыбацкого пребывания, которую я мог принять раньше, теперь уже не потяну. И приходится просто заниматься делом.

Когда-то, во время моей молодости, была четкая актерская градация. Меня иногда спрашивают: «Почему вы так мало снимались в кино?» Потому что в советские времена амплуа существовало как социально-типажный подбор: рабочий, колхозница, светлый герой-неврастеник, физики и лирики и обязательно какая-нибудь гнида — или шпион, или растлитель — вот это я. Каждый знал свое место. Из-за этого драматически складывались судьбы многих актеров. Например, Григория Шпигеля, Лаврентия Масохи, Юрия Лаврова (замечательного киевского актера, папы Кирилла Лаврова). Они играли всевозможных вредителей. Актер в зрительском восприятии настолько сочленялся с образом, что сыграть, допустим, короля Лира или Ленина он не мог, потому что недавно взорвал очередную шахту. Сейчас другое: накачанные бицепсы, засунутые во все дыры тела пистолеты, умение с четырех рук и ног отстреливаться. Иногда все это сдабривается спермой.

Создается масса сериалов об ушедших личностях, начиная с царей и кончая великими бандитами. Например, в сериале по роману «Таинственная страсть» Васи Аксенова милые девочки и мальчики из последних сил пытаются изобразить Высоцкого, Фурцеву, Гурченко. Это ужасно, потому что все равно вранье, все равно неправда (вранье и неправда — разные вещи). И вообще не нужно играть Высоцкого, Качалова или Смоктуновского. Нужно играть Чацкого, Мефистофеля и Отелло, а Качаловыми и Смоктуновскими надо стараться стать.

Есть артисты, которые постоянно ожидают провала, особенно если не уверены в выбранном материале. Провал — это вопрос щепетильно-субъективный. Репетиция прошла не так, ехидные взгляды коллег, отрицательные отклики прессы — и все это суммарно дает глобальный мандраж. Но существуют и счастливые люди, которые от себя это отталкивают и все время на что-то надеются. У Шварца в «Обыкновенном чуде» есть фраза: «Когда при нем душили его любимую жену, он стоял возле да уговаривал: "Потерпи, может быть, все обойдется!"» Я скорее из категории этих людей: вялый оптимист. «Все еще обойдется». Это, конечно, удобная позиция, но, насколько она выигрышная, не знаю.

Ремесло — не катастрофа. Главное — азарт и органика, если не гений. В каком-то провинциальном театре — репетиция. Сидит режиссер, а рядом спит его собака. После того как он говорит: «Репетиция окончена» — собака просыпается и встает. Это артисты театра заговорили по-человечески.

Вообще, актерская профессия предполагает животное начало. На сцене нельзя переиграть ребенка, кошку и собаку — они органичны, наивны и искренни. Великий режиссер Питер Брук, кажется, двоюродный брат Валентина

Николаевича Плучека, как-то приехал в Москву. Плучек тогда выпускал спектакль «Ревизор», и Питер захотел прийти на репетицию. Волнение у всех было страшное.

Брук пришел на генеральный прогон. Замечательное оформление Валерия Левенталя, тревожная музыка Олега Каравайчука. Когда в первой сцене выбегал Папанов-городничий с репликой «К нам едет ревизор», все кулисы и падуги на сцене под тревожную музыку перекашивались.

Наш милейший помощник режиссера Верочка, сердобольная дама, постоянно подбирала бродячих брошенных кошек и тащила их в театр. Во время создания «Ревизора» она как раз принесла очередную кошку и в бутафорском цеху соорудила для нее вольерчик. Как назло, перед приездом Брука кошка родила. Причем неизвестно от кого. Котов в театре не было. Очевидно, от кого-то из артистов.

Идет прогон спектакля. Брук в зале. Выбегает Папанов: «К нам едет ревизор». Зазвучала тревожная музыка, испуганная кошка выпрыгнула из вольера, выскочила на сцену, вцепилась в падугу, сорвалась, потом вцепилась в кулису, та раскачалась, и молодая мать с визгом умчалась за кулисы.

Завершилась репетиция. Помреж Вера уже собирала вещички и писала заявление об увольнении, кошку вышвырнули в соседний сад «Аквариум». Брук подходит к Плучеку и говорит: «Валя, ты гений». Плучек настораживается. Брук продолжает: «С этой кошкой! Как это удалось?!»

Так что переиграть кошку нельзя.

У Толи Папанова был один пунктик: он умолял близких и знакомых не приходить на первые спектакли — только к десятому спектаклю начинал получать кайф от игры. Мы сыграли премьеру «Ревизора» в Москве и буквально на следующий день поехали с ней в Ленинград. Огромный дворец, народу полно. Толя весь напряжен. И вот начинается спектакль. Выбегает Толя со словами: «Господа, пренеприятное известие — к нам едет Хлестаков».

Мы думаем — ну все, занавес давай. Три тысячи мест — хоть бы один зритель вздрогнул! Ну, Хлестаков и Хлестаков. Едет и едет. Может быть, это смелое режиссерское прочтение.

Увы, часто даже великие актеры запоминаются зрителям по одной роли и одной реплике.

Мы поехали со спектаклем «Клоп» в Болгарию. Одним из гастрольных пунктов был маленький уютный городишко Враца. На центральной площади стоит огромный, больше самого города, памятник Димитрову. Идет склизкий дождик. Вокруг памятника — лужайка, тоже склизкая. Отцы города повели нас поклониться Димитрову. Георгий Павлович Менглет тут же привычно пустил слезу. Мы ему шепчем: «Жорик, это несвежее захоронение, перестань рыдать». Анатолий Папанов был на этих гастролях без жены Нади. Когда мы летели в эту Болгарию, я сидел в самолете рядом с ним. Он держал в руках для маскировки огромный жостовский заварочный чайник, полный коньяку. В «Клопе» Толя играл маленькую ролишку и мог расслабиться. И вот весь театр стоит на трибуне у этого мокрого Димитрова. Произносят речи: «Московский Театр сатиры приехал к нам. Ура!» В общем, братание. Когда все закончилось, отцы города и пионеры начали скандировать: «Ну, Заяц!» И Толя с подножия монумента орал: «Погоди!»

Театр — зимний вид спорта. Если открытие сезона в любом театральном коллективе — праздник урожая улыбок, объятий, показа похудевших фигур и запрещенного, но необходимого загара (стойко и давно сбор труппы в актерской лексике называется «Иудин день»), то закрытие сезона — тусклый и вялый по ординарности денек, не сулящий ничего, кроме надежды на надежду в следующем сезоне.

Артист Театра сатиры Даниил Каданов панически боялся Валентина Плучека. Когда тот стал возобновлять спектакль «Баня», все сказали: «Даня, художник Исак Бельведонский — это же твоя роль! Иди к Плучеку». — «Я боюсь». — «Пойдем». Его вталкивают в кабинет к Плучеку. «Что, Даня?» — спрашивает тот. Даня начинает лепетать: «Валентин Николаевич, вот Бельведонский...» «Данечка, понимаешь, какая история, — говорит Плучек. — Ты милый человек, а я мечтаю, чтобы это был маленький сопливый еврейчик, который все время подхалимничает». Даня выходит из кабинета Плучека со слезами: «Ну то, что я для него не артист, я знал всегда. Но что я для него уже и не еврей...»

Актеры — существа без накопительной любви, преданности и благодарности. Они несчастные, потому что все время чего-то хотят и этого не получают. Я помню только пару случаев, включая случай моего сына Миши, когда артист сказал: «Не моё, ухожу из профессии». Обычно говорят: «Интриги, коварство, режиссер — говно и меня не видит». Это страшное психологическое ярмо. Особенно невыносимо, когда рядом есть успех. Иронии никогда не хватает.

Вообще, артист, до того как выходит на сцену, — безумное животное. Красавцем, талантливым, тонким, интеллигентным, с юмором и глубиной он бывает только на сцене, когда вдыхает «запах кулис». Как только его нет, это бог знает что.

Театр — сборище сумасшедших, фанатичных, истеричных, милых, трогательных, наивных и в основном несчастных людей со случайно счастливой судьбой.

Между нами

Владимир Винокур

У меня к Шурику Ширвиндту (язык не поворачивается назвать его Александром Анатольевичем) особое отношение. Это мой учитель, первый в моей жизни режиссер. В ЖЭКе на площади Ногина в 1981 году шли репетиции эстрадно-пародийного спектакля «Выхожу один я…». Автор — Аркадий Арканов. Мой партнер — выдающийся музыкант Левон Оганезов.

Ширвиндт и я за пять дней в доме отдыха ЦК комсомола, выпив много литров водки, помогли Арканову дописать сценарий и за месяц репетиций создали шедевр. На премьере в Театре эстрады все слышали у моего героя интонации Шурика. Этот интеллигентный светский красавец был совершенно неузнаваем без знаменитой фразы: «Вова, ё…, не играй всерьез, делай вид, что ты их (зрителей) — подъ…ешь!»

Да, в 1981 году ко мне обратился мой друг Григорий Ковалевский: новый коллектив «Виртуозы Москвы» не имеет репетиционной базы, мол, Володя Спиваков просит разрешения репетировать в нашем ЖЭКе, в красном уголке. И Шурик разрешил: «Х… с ними, пусть пиликают, может, что получится!» Мы репетировали с 10-ти до 15 часов, а «Виртуозы» — с 15-ти и до ночи. Благодаря Шурику мир обрел «Виртуозов Москвы».

Я

Параметры успеха у всех различны. Параметры Винокура: труд 10 %, блат — 1 %, талант — 9 %, случай — 6 %, обаяние — 74 %. С годами, когда труд, блат, талант и случай уже произошли, остается 100 % обаяния.

Галина Волчек

Дорогой Шура!

Благодарна судьбе, что наши жизни проходят рядом. Пусть не всегда у нас есть возможность общаться так часто, как хотелось бы, но все же…

Я знаю, что ты близко, что ты — настоящий товарищ, что, как и пятьдесят лет назад, «Современник» — не чужой тебе театр.

Надеюсь, ты будешь здоров. И у тебя и всех, кто тебе дорог, всё будет так, как вы захотите.

Долгих лет!

С любовью,
твоя Галя Волчек

Я

С Галиной Борисовной Волчек мы знакомы такое количество лет, что, когда называешь эту цифру, люди скептически отворачиваются, думая, что я или сошел с ума, или слишком хорошо об себе понимаю. Тем не менее действительно давно. Очень не хочется быть нескромным, самонадеянным и глупым, но вынужден признаться, что Галина Борисовна неоднократно прилюдно и приватно (извините за рифму) намекала, что из всех худруковских коллег я единственный, кого она любит. Это очень хорошо говорит о ее вкусе и очень плохо о московских худруках.

В Америке бывают президенты из актеров. У нас только из публики. Потому что у нас разные менталитеты. Наша «богемная» элита болезненно самолюбива, оголтело тщеславна, витиевато хитра, преувеличенно эмоциональна, одноразово смела. В итоге — какой-то стыдный инфантилизм, который чем талантливее, тем опаснее. До государственного мышления в этой среде поднимается одна Галя Волчек.

Максим Галкин

Дорогой Александр Анатольевич, если Вам вдруг рядом не для кого пошутить, смело звоните по номеру +7985-ххх-хх-хх и выплескивайте все, что накопилось. Тариф безлимитный, первые десять минут разговора сопровождаются неподдельным восторгом и заливистым смехом.

Можно бесконечно долго наблюдать огонь, воду и остроту ума Ширвиндта.

> *Всегда Ваш, застывший в восхищении, кумир* [*]
> *Максим Галкин.*

P. S. Если не дозвонитесь до меня, набирайте мою супругу. Она, между прочим, неплохая певица — присмотритесь.

---

*   *См. книгу: А. Ширвиндт. Проходные дворы биографии. М. : КоЛибри, Азбука-Аттикус, 2013.*

Я

Действительно в порыве белой зависти после очередного телевизионного концерта Макса я вынужден был признать, что его импровизационный дар зашкаливает и мне такой свободы и хорошего нахальства в этой профессии уже никогда не приобрести: «По Далю, "кумир — предмет бестолковой любви и слепой привязанности". Наступаю на горло старческому брюзжанию и признаюсь в слепой (вижу действительно неважно) привязанности к Максиму Галкину».

Советский комедиограф Семен Нариньяни, когда принес в Театр имени Ленинского комсомола пьесу «Опасный возраст», сказал: «Играйте весело, не обращайте внимания на текст, потому что драматургия — вещь нехитрая». Импровизация — вещь хитрая. Например, Ростислав Янович Плятт — потрясающий комик и удивительно тонкая натура. Мы с Львом Лосевым, моим другом и соавтором (позже директором Театра имени Моссовета), в наши шутейные программы в Доме актера и в телевизионные передачи всегда тащили Плятта. Он выходил, и все говорили: «Какой Плятт прелестный импровизатор». А он произносил написанный текст вплоть до запятой. Не умел иначе. Учил, делал своим, но не импровизировал.

Есть импровизаторы, которые несут бог знает что, и это невыносимо. А есть такие, которые для этого созданы, то есть шоумены в высоком смысле слова. Это совершенно не зависит от времени. От времени зависит, что они несут. Главное — чтобы был какой-нибудь смысл, а не понос раскрепощенности.

К моей гордости, Макс иногда меня цитирует. Недавно на концерте он рассказал, как пригласил меня к себе во дворец в поселке Грязь и долго объяснял мне маршрут: «Едете по Рублевке, налево Успенское, а вы — направо, потом через Николину Гору проезжаете мимо всех дач, включая дачу Михалкова, спускаетесь, выезжаете на большое пространство и долго-долго едете, потом крутой поворот налево, а вы — направо, мимо обелиска, потом мимо кладбища…» Я говорю: «Подожди, Максик, все-таки мимо?»

Валентин Гафт

На заре ты его не буди,
Он, как птичка, встает на рассвете.
Трубку в зубы, приткнется к газете,
Сон на сцене еще впереди…
А разбудят — всхрапнет в кабинете.
Он для рыбок враг номер один —
Весь в крючках, поплавках, всюду сети…
Золотую поймает, кретин,
И отпустит рыбак-гражданин —
Хватит сказок, наелись, не дети!
Золотая не может понять —
Все желания выполнить рада…
А ему все равно, твою мать,
Ничего уже старче не надо.

Я

Когда-то, на заре своей работы в Театре сатиры, я сыграл графа Альмавиву в спектакле «Безумный день, или Женитьба Фигаро». Этого графа играл Валентин Иосифович Гафт. Но так как он от вечной творческой неудовлетворенности все время что-то где-то искал, то, по-моему, перебывал во всех мощных столичных театрах. Не из алчности, а в поисках настоящего. В тот период Гафт начал разочаровываться в Театре сатиры. Пик этого разочарования пришелся как раз на спектакль «Женитьба Фигаро». Судью в нем играл Георгий Павлович Менглет. В сцене суда Гафт во время своих реплик увидел, что Менглет о чем-то оживленно беседует с одной из пейзанок, совершенно не обращая внимания ни на сюжет, ни на графа. Гафт бросил играть, подошел к Георгию Павловичу, взял его за грудки и спросил: «Общаться, б…, будешь?» Не получив ответа, ушел из театра. Дальше с Менглетом пытался общаться я.

Звонит не так давно Галочка Волчек: «У Вали юбилей. Понимаешь, сначала он кокетничал и говорил, что ничего организовывать не надо, но потом все-таки его уговорили и он попросил: "Но только давай Шурку и Басика"». То есть меня и Басилашвили. Я говорю: «Тоже мне — выбрал! Это все, что осталось».

Я на год старше Гафта и с учетом нашей 60-летней дружбы вынужден быть искренним. В нынешнее веселое театральное время — время необузданного режиссерского оргазма — нам приходится свои старческие актерские гениталии окунать в общий котел группенсекса с Мельпоменой.

Актерам сегодня тесно на театральных подмостках — они ходят на ринг, на лед, на паркет. Досуг становится профессией… Сейчас время выйти на панель и участвовать в танковом биатлоне. Вместо того чтобы судорожно улучшать свои неумелости, рентабельнее было бы совершенствовать умелости. Хотя попадаются высокопрофессиональные дилетанты.

Диапазон творчества расширен. Например, группа артистов была брошена в дельфинарий, очевидно, чтобы поднабраться у дельфинов интеллекта. То, что в жюри сидел человек-амфибия, объяснимо, но когда появился Гусман, это насторожило.

К счастью, прояснился национальный вопрос. Я как-то с гордостью прочел, что Хазанов и Гафт были гостями «Славянского базара». Логично, что гостями, так как хозяевами на славянском базаре евреи уже пытались быть в 1917 году и за базар ответили.

Моисей таскал евреев по пустыне 40 лет, потому что, в отличие от Сусанина, действительно заблудился. Гафт почти 60 лет ведет свою зрительскую паству в одном и том же направлении, потому что гениально знает адрес.

Между тем

В Большой советской энциклопедии стыдливо обозначено, что интеллигенция — это слой людей, профессионально занимающихся умственным, преимущественно сложным, творческим трудом. В моральном смысле интеллигенция — воплощение высокой нравственности и демократизма.

Мой давний друг и не менее давний соратник Анатолий Михайлович Адоскин — вымирающая (дай ему бог здоровья) особь в черте оседлости начала XXI века. Он — без экзаменов на грамотность — являет собой истинного русского интеллигента. Он очень комфортно чувствует себя в век канонизации хоккея и футбола (хотя сам великолепный теннисист), потому что существует в других душевных измерениях. Он не опускается до испепеляющей полемики на уровне теле-ток-шоу. Ему есть на что тратить время — он окунается с головой в благотворную атмосферу XVIII–XIX веков. Его авторские передачи (вспомним хотя бы «Что, мой Кюхля?») на канале «Культура» стали золотым фондом этого из последних сил держащегося на волне хорошего вкуса канала. Интеллигентность бросает Адоскина в недра русской словесности прошлых веков, в живительную среду бытия — ведь недаром термин «интеллигенция» придумал тончайший русский интеллектуал Петр Боборыкин.

Обитать рядом с Толей всегда было трудновато, ибо приходилось как-то приноравливаться к его стилю, манере общения и эрудиции и глубокомысленно мимикрировать под него. При этом литературный и житейский дар Адоскина никогда не был умозрительным. Толя вскипал, увлекался, негодовал и влюблялся, фонтанировал остроумием, давал грустно-иронические оценки действительности, что послужило поводом для создания ярких, разноплановых и, главное, очень индивидуальных работ: театральные роли, телепрограммы, кинопроизведения и даже «капустнические» безумства.

Домашний уклад семьи Адоскиных так же наивен, как и ее взгляды. Каких-нибудь 25 лет назад Валентин Гафт, Михаил Державин и ваш покорный слуга (как это красиво — не я, а ваш покорный слуга) отправлялись с концертами для обслуживания ограниченного контингента советских евреев в Америку. Перед самым отъездом появляется лучезарная пара — сам Адоскин и совершенно уникальная по тонкости, стеснительности и шарму Олеся. При них — большая фанерная, тщательно перевязанная коробка. «Сашенька, дорогой! — Толя единственный из моего семейного и служебного окружения называет меня Сашенькой, а не Шуриком, очевидно, из уважения к моему преклонному возрасту. — Наша Машенька в Вашингтоне. Если вы передадите ей посылочку, мы будем счастливы!» — «А что там?» — осторожно спросил Гафт, предчувствуя недоброе. «Рождественские сувениры», — лучезарно и уклончиво ответила Олеся.

В турне по синагогам Америки, в нашу честь переделанным под концертные площадки, я как друг и в общем-то человек ответственный через день звонил в Вашингтон Маше под угрожающими взглядами Гафта, потому что в ту пору для советского артиста каждый телефонный звонок в Америке оборачивался минусом пары джинсов из списка необходимой привозной подарочности на родину. Телефон отвечал не Машиным голосом, что ее нет. В конце турне я,

воспользовавшись пятиминутным сном Гафта, скрепя сердце, позвонил Адоскину в Москву и, экономя средства, телеграфно сказал: «Ваша дочь в Америке не проживает!» «Умоляю! Не бросай трубку! — взмолился с родины Толя. — Она, очевидно, в командировке, запиши, пожалуйста, телефон ее подруги! Не бросай трубку, я тебе возмещу на родине! Договорись с ней, Сашенька, чтобы она пришла к вам в аэропорт, когда вы будете улетать, и передай наш пакетик!» — «Диктуй телефон. Пока». — «Умоляю, не бросай трубку, я возмещу на родине!» — «Ну?» — «Если она не придет, то оставьте наш ящичек в камере хранения аэропорта на Машино имя». — «Целую. Пока».

Естественно, никакой подруги в аэропорту не оказалось. Мы отправились в камеру хранения (слава богу, с нашей переводчицей) и начали сдавать адоскинскую посылку. Элегантный негр профессионально спросил: «Что в коробке?» Не зная содержимого, мы уклончиво ответили: «Сувениры». Негр подозрительно поднял тяжеленную коробку и предложил ее вскрыть. Посылочка была перевязана такими жуткими шпагатами, что даже Гафт при своей экскаваторной мощи не смог их ни развязать, ни разорвать, ни перекусить. Появился еще один огромный негр с не менее огромными ножницами. Коробку вскрыли, и оттуда посыпались небольшие гранаты (типа лимонок), каждая — завернутая в фольгу, в количестве тринадцати штук. Негры рухнули на пол, а Гафт, Державин и ваш покорный слуга (как мне нравится так себя называть) через секунду оказались пришитыми к стенке с поднятыми руками. Когда закончилась проверка миноискателем, переводчице разрешили освободить от фольги одну гранату. Там оказалось дивно раскрашенное деревянное рождественское яйцо. «Что это?» — спросили негры. Переводчица минут двадцать читала «минёрам» лекцию о рождественских традициях Русской православной церкви. Негры проверили все наши яйца и разрешили опустить руки.

Буквально через два месяца, уже, естественно, в Москве, раздался очень тихий телефонный звонок и вкрадчивым извиняющимся голосом кто-то сказал: «Сашенька, родной, Машенька яйца получила. Спасибо».

Между нами

Татьяна Правдина-Гердт

Оказывать помощь и не помнить об этом — и есть истинная доброта.

Опять же — щедрость. Материальная иногда существует — спонсорство, благотворительность, гранты. А душевная — большая редкость! Первая самая тяжелая минута моей жизни — умерла мама… Через два часа Шура был у нас…

Прибалтика, живем в лесу, большой компанией идем за грибами. Их нет, все с пустыми корзинками. Вдруг Шурин голос: «Сюда! Сюда!» Подбежав к нему, увидели феерическую полянку с подосиновиками! Настоящие грибники знают степень жгучей зависти к удачливым сборщикам. Увидев наши обалдевшие лица, он сказал: «Ну что, валяйте! — и справедливо добавил: — Ведь, правда, другой затаился бы?»

Он замечательный артист, чаще всего склонный в ролях к юмору и сатире, но для меня его чаплинская планка — это «Чествование». Там он и выдал ту затаенную в нем человеческую стеснительность, которая порой парадоксально проявляется вроде бы цинизмом.

В каждом человеке есть второе «я». Это не я такая умная, а доказанное психологом Федором Горбовым, готовившим Гагарина к полету, утверждение. Мне кажется, что в Шуре это очевидно: внешне — сплошной блеск и уверенность, а внутри — море сомнений. И, несмотря на бесконечное количество перипетий в жизни — будь то театр, семья, друзья, — удивительная стойкость в верности и порядочности. А что дороже?

Ужасно, но можно использовать только пафосные слова: безупречный сын, мог бы быть бабником, но вернейший муж, заботливый отец и лучший в Москве дедушка.

Не знаю ни одного человека, который не любит Шуру.

Он — всехняя удача!

Я

Танечка принесла мне замшелое письмо почти сорокалетней давности и очень просила его где-то опубликовать, потому что, по ее мнению (а у нее очень хороший вкус), это мое письмо отражает ту эпоху.

К сожалению, сейчас никто уже никому не пишет, никто никого не приглашает в гости на чай и преферанс. А было время, когда писали письма. Особенно тем, без кого было трудно обходиться на расстоянии. Поэтому, когда мои любимые Зямочка и Танечка Гердты поехали с Театром кукол имени Образцова в Японию надолго — советские гастроли были долгими (завидная пора для сегодняшних театральных деятелей), — то мы вынуждены были переписываться, не имея возможности приобрести еще не изобретенный айфон.

Между тем

Очень быстро переключается спидометр. Раньше в советских такси — «Волгах» — был вмонтирован огромный счетчик с переключателем. Когда пассажир садился, таксист его с треском включал и начинали бежать копейки. Настоящие таксисты спрашивали: «Вам как?» Я говорил: «Не бзди, все нормально». Тогда водитель подкладывал под счетчик огромный магнит подковой, и тот крутился в два или три раза медленнее. Если бы счетчик был нормальным, я должен был бы заплатить, к примеру, пять рублей, а при помощи магнита выстукивало два. Я давал таксисту полтора рубля чаевых, и все были счастливы. Кроме государства. Но у нас всегда так — чего переучиваться.

Так вот, на спидометре жизни набежало много. Все изменилось: мечты, вдохновение, лексика, вкусы, приоритеты. Поэтому мне приходится, как в настоящих старых изданиях, писать сноски.

Письмо Гердтам в Японию
11 апреля 1979 года

Вступление

Дорогие!

Хотелось бы наконец услышать несколько ответных слов — той неслыханной японской благодарности и т.д. по стереотипу (**1**).

Вступительный фельетон (**2**)

Дорогие!

Добрый вечер! Здравствуйте! Хотя, может, и доброе утро или добрый день — все зависит от поясного времени на этом земном шаре — все относительно?!

Как я неосторожно сказал на вечере в ЦДЛ, мол, этот вечер для меня начался, для Барышникова (**3**) еще не начался, а для Зямочки с Танечкой Гердтов уже закончился.

Весна идет по стране. Окончательно сгнили крылья (**4**). Заменил два передних, выправил задний фартук, подлудил двери, выстучал мелкие вмятинки, покрасил по пояс — в сумме на сумму 370 рублей (**5**). Не считая такси туда и, естественно, все время обратно, ибо никогда ничего не готово.

Постановка вашего автомобиля на крытую стоянку (**6**) требует кисти большого художника и рассказа в лицах каким-нибудь острым и мягким эстрадником типа меня.

Не вдаваясь в подробности, о которых — при встрече, это стоило целого вечера (а вечера нынче очень подорожали) и простудного состояния сроком на полторы недели. Если есть возможность его оттуда не брать, надо этим воспользоваться, так как выезжать будет еще сложнее, чем въезжать. Процесс таков:

а) перестановка номерных знаков с прописанной в гараже машины на ввозимую (знаки не отвинчиваются и не срываются, так как прикипели);

б) перекрашивание вашей машины в цвет аборигена;

в) загоняние фиктивной машины в бокс и давание (на всякий случай) церберу несколько денежных знаков в свободно конвертируемой валюте в свободно высунутую из окошка проходной руку;

г) накрывание непрописанной машины брезентом — с предварительной получасовой попыткой оторвать от аккумуляторной базы клеммы, которые:
  1) прикипели,
  2) сидят на нестандартных винтах,
  3) не имеют в багажнике того, чем их можно хоть как-то зацепить,
  4) раздражают;

д) засовывание за пазуху отвинченных номеров и пронесение их через вышеупомянутого цербера с непринужденно-небрежным видом во время легкой беседы с хозяином бокса, который:
  1) всего бздит,
  2) еврей,
  3) педантичен и скучен — вплоть до того, что у него шайбочки на болтиках к номерным знакам и с той и с другой стороны и он в слякотно-мерзлой ночи на стуже, ветру и карачках не ленится их наживлять, ведя со мной беседу о судьбе советского театра,
  4) опять еврей,
  5) говорит, что бокс ему не нужен, так как он переехал в район Северянина, но пусть будет, мало ли что, боксы дорожают, нет ли лишнего билетика — и так до самого Рижского вокзала, куда он меня довез и откуда я брал такси на сумму 2 р. 75 к., не считая чаевых, которых я не считал.

Новости:

I

Элик Рязанов женился на Скуйбиной (**7**) в загсе, а потом гулял в ЦДЛ на людях (я был — шутил — средне).

II

Началась жатва (или сев) — приедете, уточним.

III

Умер ваш — наш — Левинсон (**8**). Жалко! (Умер хорошо: вернулся с лыж, уснул, и все.)

IV

Пришла весна.
Стих Геры Мартынюка (из цикла «Времена года», в помощь наступающей ностальгии):

Раз оттаяли помойки,
Значит — все, пи… ц, весна.
Я домой ползу с попойки
Мимо талого говна.
Звон капели ухом слышу,
Солнце шпарит горячо,
Воробей с промокшей крыши
Мне нагадил на плечо.
Облачка, как уток стайки,
Проплывают над мостом.
И собака у собаки
Чтой-то ишшет под хвостом.
Жарко! Хоть сымай рубашку,
Хоть подштанники сымай.
Хорошо бы дуру-Машку
Затащить сейчас в сарай…

Грустные сообщения:
а) умерла моя собака Тошка — теперь у меня, кроме вас, из
   любимой живности никого не осталось, приезжайте,

б) Япония — крупная империалистическая держава, приезжайте.

Время, события, люди
Время московское — без четверти час 11 апреля.
Все события — вне нас, и их тоже мало. Вынуждены (знаете, как я это ненавижу) ходить вместо вас на зрелища, которые нашумели.
Были:
а) в «Современнике» на «Докторе Стокмане».
Доктор — Кваша,
Жена — Козелькова,
постановка Иона Унгуряну (**9**).
Рядом сидел Андрюша в голландской серой тройке из мелкого букле и сорвал мне и без того вялое впечатление (**10**),

б) в «Современнике» на лекции Ажажи (**11**) об НЛО. Лекция длинная, Ажажа подозрительный, диапозитивы мутные, гуманоиды (не то два «м», не то два «н» — впишите сами) симпатичные, один похож на Зямочку, но не такой обаятельный,

в) в «Современнике» на фильме Вайды с непонятным названием. Фильм замечательный. Волчек поцеловала меня в губы — к чему бы это?

г) в студенческом театре МГУ на пьесе Петрушевской «Уроки музыки». Поставил Виктюк. Зрители на сцене. Зал пустой. Лихо. Вся элита на жердочках сидит — переживает. И я с ней.

Таточка намылилась 10 мая в Италию (**12**). Я мечтаю 20 мая сдать Алешина (**13**) и уйти в таксисты. Плучек окончательно влюбился в себя, и этот роман страшен и вечен.

Несколько слов о себе:

Я родился в бедной еврейской семье, где и живу до сих пор. Покрасил машину… Ой, это я уже писал в начале. Цалую (**14**). Привет кому-нибудь. Опять цалую (**15**).

Примечания 2017 года

1. Как профи-тамада всю жизнь на любых дружеских застольях я начинал тостирование словами: «Хотелось бы произнести несколько слов той неслыханной благодарности, которую я испытываю…» И дальше — панегирик адресату тоста.

2. Вступительный фельетон — необходимый атрибут любого праздничного концерта, произносимый конферансье (забытая профессия) в самом начале представления и посвященный отмечаемому событию. Мы с Зямочкой, опытные халтурщики-эстрадники, подрабатывали иной раз этими фельетонами, но, конечно, не могли тягаться с такими, например, асами, как Матвей Грин. У него в библиотеке в алфавитном порядке стояли тома папок. Наступал, допустим, День работника автомобильного транспорта. Матвей, внешне отдаленно смахивавший на Марка Твена, нанизывал золотые очки, снимал со стеллажа том на букву «а», где вечно покоились вступительные фельетоны ко Дню агронома, артиста, ассенизатора и так далее, и, вписав нужную дату, всучивал жаждущему эстраднику свою нетленку.

3. Михаил Барышников — великий танцор, скандально оставшийся за границей во время гастролей Большого театра. Когда началась история с предательством Барышникова, говорили, что он давно, в течение нескольких лет, подготавливал отъезд, стал членом ЦК комсомола — все для того, чтобы его выпустили в Америку с его сложной биографией как гения и мужчины. Я придерживаюсь другой версии. Буквально за день до его отлета на гастроли в Канаду и Америку мы были в Ленинграде тоже с гастролями. И Мишка устроил мне, Андрюше Миронову и его брату Кириллу Ласкари прощальный прием в своей квартире. Громадная была по тем временам квартира над Мойкой и совершенно пустая. Посреди большой комнаты стояла ваза размером с бетономешалку полная конфет «Мишка косолапый». Из еды — всё. Еще были напитки. И бегал огромный, в полквартиры, ньюфаундленд, которого Мишка ужасно любил. Мы пили, прощались. Где-то под утро он позвал меня в кухню с видом на внутренний двор и показал машину «Волга» — экспортный вариант. Это была несбыточная мечта советского человека. Мишка объяснил: «Вчера из Горького пригнали. Долго клянчил, ждал. Тебе как автомобилисту могу сказать — на 76-м бензине». Дело в том, что 76-й бензин, во-первых, был дешевле, а во-вторых, его заливали из любого самосвала. Утром Мишка улетел. Когда начались разговоры, что его невозвращение — продуманный шаг, я подумал: чтобы собрать ближайших друзей-алкоголиков за день до вылета, бросить собаку, которую обожал, показывать мне в 5 утра из окна «Волгу» на 76-м бензине, — это нужно быть таким Абелем! Конечно, он остался там спонтанно.

4. Крылья сгнили, естественно, не у меня и не у отсутствующих в моем хозяйстве кур или попугаев, а у ветхого автомобиля — из тех, что существовали у нас десятилетиями и подгнивали со всех сторон.

5. Две с лишним средние зарплаты по тем временам.

6. Уезжая в Японию, Гердты поручили мне кровь из носу изыскать возможность пристроить куда-нибудь «Москвич» до их возвращения.

7. Ниночка Скуйбина — долгая, нежная и трагическая любовь Рязанова.

8. Левинсон — замдиректора Театра сатиры, милый, интеллигентный, добрый, сугубо театральный человек.

9. Ион Унгуряну — известный молдавский актер и режиссер, в прошлом — мой ученик в «Щуке», где я выпускал целую группу «Молдавской студии», впоследствии возглавлявший замечательный театр «Лучафэрул».

10. Андрей Миронов всегда прекрасно и раздражающе модно одевался.

11. Владимир Ажажа — популярный фанат НЛО.

12. Таточка — Наталия Николаевна Белоусова, жена.

13. Самуил Алёшин — драматург, написавший пьесу «Ее превосходительство», спектакль по которой я поставил в Театре сатиры.

14. «Цалую» — это не безграмотность, а шутка.

15. Второй раз «цалую» — для закрепления искрометности шутки.

Между нами

Станислав Говорухин
Позвони мне, Шура, позвони!

Я

Лаконичен и категоричен.

Я его тоже поздравлял не раз. Помню день рождения, который отмечался в демонстрационном зале ГУМа. У меня столик был с Ирой Скобцевой и ее ребенком Федей Бондарчуком. Когда до меня дошла очередь шутить, я сказал, что такой замечательный человек, как Говорухин, устроил день рождения на Красной площади над Мавзолеем. Видимо, с прицелом 85-летие отмечать уже собственно в Мавзолее. После того как я отвякал, вошел президент. Славка произнес: «Жалко, что вы опоздали. Тут только что Ширвиндт смешно выступал». И президент сказал: «Я не входил, чтобы не мешать, слушал под дверью». На что я заметил: «Это первый и, боюсь, последний президент в моей жизни, который слушал меня под дверью».

Ни на высокой трибуне, ни рядом с президентом, ни на вручении очередной кинопремии я не видел растерянного Говорухина. К своей чести должен сказать, что растерянный Говорухин был в моей жизни и растерял его я. Дело в том, что мы с ним трубочники. Когда Говорухин

Рисунок Станислава Говорухина

чем-нибудь занимается или что-то торчит у него во рту, то всегда возникает ощущение, что это все самое лучшее и ничего другого торчать не может. Но я как трубочник старше, чем Говорухин. Поэтому он вынужден ко мне относиться в этом плане с некоторым тревожным пиететом. Когда он только решил начать курить трубку, ему со всех концов мира стали возить фирменные дорогущие трубки. И я, сидя с ним в застолье и видя какое-то очередное очаровательное произведение, говорил: «Что у тебя во рту? Славочка, как тебе не стыдно? При твоем таланте, твоей мощи и уникальности держать во рту эту жуть! Вынь сейчас же!» А так как трубки не продаются и не дарятся, а только меняются, я вынимал из своего рта посредственность, а из его — фирму, и мы расходились. Это проходило раза три-четыре, пока наконец он не начал подозревать неладное и не послал меня…

Между тем

Жизнь с годами заставляет тебя по инерции идентично волноваться по любому поводу. Запрет курения или надвигающийся кризис вызывают одинаковую тревогу. Надо дифференцировать уровень катастроф.

Когда вышел закон о запрете курения, Мамед Агаев с его ненавистью к грязи и никотину испытал радостный шок. Вообще-то, к слову, он не просто Мамед, он Мамедали Гусейн-оглы, директор Московского академического театра сатиры. Обидчивый, ревнивый, хлебосольный, патологически чистоплотный. Огромный специалист по надгробиям, памятникам и доскам на домах бывшего проживания. Мы в Европе привыкли, что Восток — дело тонкое. Закавказье оказалось еще тоньше. Мы с Мамедом дружим с 1985 года. 25 лет назад он стал моим начальником, что мне 17 лет назад надоело, и я разделил с ним эту участь. Мы абсолютно разные, поэтому пребываем в состоянии постоянного взаимного невыносимого интереса.

Так вот, Мамед обрадовался закону о запрете курения. Но в законе нет пункта, что курить запрещается вообще. Курить можно, но только в отведенных местах. А поскольку в нашем театре тогда не было отведенных мест, то во время репетиций спектакля «Лисистрата», который Нина Чусова поставила по пьесам Аристофана и Леонида Филатова, можно было наблюдать, как около сада

«Аквариум» рядом с театром в лютый мороз стояли потные мужики в римских тогах и судорожно пыхтели. Народ останавливался, думая, что снимают рекламу или же сумасшедшие вырвались из палат.

Я много раз бросал курить, но ни к чему хорошему это не приводило. Возвращался обратно к пороку, пока сын, которого я слушаюсь и боюсь, не сказал: «Все, хватит». И я год не курил. Пользы никакой. И меня навели на замечательного академика, предупредив, что он никого не принимает, но меня откуда-то знает и готов со мной побеседовать. Я с полным собранием сочинений анализов мочи поехал куда-то в конец шоссе Энтузиастов. Тихий особнячок, бесшумные дамы в белых скафандрах. Ковры, огромный кабинет. На стенах — благодарственные грамоты и дипломы. И сидит академик в золотых очках. «Сколько вам лет?» — спрашивает. «Да вот, — говорю, — четыреста будет». «Значит, мы ровесники». Когда он увидел мою папку анализов, замахал руками: «Умоляю, уберите». Мне это уже понравилось. «Так, что у вас?» Говорю: «Во-первых, коленки болят на лестнице». — «Вверх или вниз?» — «Сильнее вверх». — «А у меня, наоборот, вниз. Что еще?» — «Одышка». — «Нормально». — «Я стал быстро уставать». — «Я тоже. Все у вас в норме». И я успокоился. Раз уж академик медицины чувствует себя так же, как и я, то о чем тогда говорить? На прощание я похвалился, что бросил курить. Он посмотрел на меня через золотые очки: «Дорогой мой, зачем? В нашем возрасте ничего нельзя менять. Доживаем, как жили». Я поцеловал его в грамоты и ушел. Гений! А если бы он стал читать мою мочу…

Между нами

Лариса Голубкина

Мне кажется — и даже не кажется, я утверждаю — это самый красивый мужчина моего времени. И более остроумного человека, чем Александр Ширвиндт, я не встречала.

Он настоящий учитель Андрея Миронова.

Очень благодарна ему за свою дочь. Мне даже кажется, что они друзья.

И он прекрасный сын, у которого надо учиться отношению к родителям.

Дай Бог ему здоровья, свежего восприятия нашей жизни.

Обнимаю. Целую.

Я

Бремя вдовы Миронова оказалось архитрудным и ответственным на фоне бесконечных интервью и лживых постных исповедей, проникнутых тоской по настоящим грехам.

Сегодня смысл существования (телевизионного) — вспоминать ушедшие таланты. Появляется огромное количество друзей, любовниц и внебрачных детей. Группа (одна и та же) творчески недовостребованных и полово недоудовлетворенных дам «откровенничает». И создается ощущение, что ушли из жизни какие-то оголтелые казановы. А то, что это были замечательные артисты, писатели, режиссеры, ученые, никого не интересует.

Уходят эйнштейны — и тут же шакалы и гиены уютно располагаются на мертвом теле гения и начинают злобно и завистливо возмещать свою убогую неполноценность.

Одноклеточные моралисты, истекая вялой завистливой слюной, вздыхают о судьбе личности. Сначала возникает бешенство, потом — ирония, а суммарно — скука.

Рулетка антизабвения при официально закрытых казино работает тоже подпольно.

Появился новый жанр: мемуары по слухам. Хочу грустить и вспоминать один, а не в компании случайных прохожих по биографии.

Между тем

Удивительная вещь — забвение. Есть замечательные фигуры, ушедшие от нас, которые с момента исчезновения в небытие потихонечку растворяются во времени. И есть фигуры, может быть, даже такой же степени индивидуальности, но постепенно становящиеся все более выпуклыми. Андрей Миронов — из этих особей. Человек, который для нас был просто Андрюша, даже и не Андрюша, а Дрюсик, превратился в безвременно ушедшего великого русского актера.

Андрюша все делал с огромной самоотдачей. У нас в Театральном институте имени Щукина есть курс «Профнавыки». В начале второго курса студенты бросают этюды и сценическую речь и по своему желанию выбирают себе профессию. Когда мы учились, всех студентов отпускали на месяц, и они на полном серьезе изучали какую-то специальность — шли на стройки, заводы. Я, например, месяц в духоте натягивал фетровые шляпы на болванки. Андрей Миронов с Мишей Воронцовым прошли два шага от училища к будочке холодного сапожника (то есть не употребляющего ничего, кроме шила, молотка и рук). Он дал им фартук, и они сидели в этой будке с полным ртом гвоздей. Потом был экзамен по профнавыкам. Доходят до Воронцова и Миронова. Объявляют: холодные сапожники. Открывается занавес — выходят они в фартуках, таща за собой почти всю сапожную будку. Андрюша садится, достает

ботинок, вынимает изо рта гвоздь, замахивается молотком, бьет — и кровь брызжет аж до кафедры. Фонтан крови! Борис Захава, возглавлявший училище, кричит: «Занавес!» И профнавыки Андрюши на этом кончились.

У Андрюши не было ярких вокальных данных, абсолютного слуха. Это все труд и пот.

Он мог бы руководить театром. Театром сатиры — прежде всего. В последние годы он очень увлекся режиссурой. Нашим совместным режиссерским дебютом в Театре сатиры был спектакль «Маленькие комедии большого дома». А потом он поставил сам «Бешеные деньги», «Тени», «Феномены», прелестную пьесу Гриши Горина «Прощай, конферансье!».

Андрюша был болезненно чистоплотным. Во время гастролей он постоянно стирал. И меня заставлял. Но потом перестирывал. Ему казалось, что я это делаю некачественно. А я действительно стираю не очень. В командировках, когда Лариса Голубкина звонила и спрашивала его, как дела, он говорил: «Ничего, но Шурка в ужасном состоянии. Стирает все хуже и хуже».

Он всю жизнь сгонял вес. Когда мы были на гастролях в Риге, его последних гастролях, он каждое утро играл в теннис. Неожиданно Никита Михалков, тоже знаменитый теннисист, привез из-за границы какой-то полуводолазный-полутренировочный скафандр, который надевался под трусы и майку. И в нем он играл в теннис. Этот страшный компресс давал возможность за пять сетов сбросить три-четыре килограмма. Никаких таких костюмов Андрюша не имел и приобрести не мог. И тогда были куплены четыре китайские рубашки — единственный продукт в стране, запечатанный в целлофановые пакеты. Рубашки были выброшены, и Ларочка с Таточкой — наши жены — всю ночь под прибой Балтийского моря кроили из целлофановых пакетов этот скафандр. Андрюша напялил его на себя и играл в теннис, шурша, как китайская рубашка. И действительно сбрасывал вес.

Забвение! Временны́е и качественные параметры незабвенности, во-первых, крайне индивидуальные, а во-вторых, вкусовые. В наше псевдодокументальное время смешно и наивно купаться в сентиментальных волнах. Надо, подавив ностальгические эмоции, постараться быть реалистом.

К 75-летию со дня рождения Андрюши попросил своих помощников пройтись по улицам Москвы и с камерой и микрофоном в руках опросить прохожих в возрасте от 0 до 30 лет, задав им один вопрос: «Кто такой Андрей Миронов?» Интересно было понять, что знает о нем поколение, возникшее уже после его смерти. Помощники опросили 87 человек. Вот наиболее типичные ответы.

Мальчик и девочка в ярких шапочках, 10–12 лет:
— Понятия не имеем!

Девушка в огромном сером берете, 25 лет:
— Это мой главный бухгалтер.

Школьница с рюкзаком, 13 лет:
— Это актер. «Трое в лодке…», «Бриллиантовая рука»…
Не помню, как называются остальные фильмы.

Интеллигентной наружности молодой человек, 23 года:
— Миронов — какой-то депутат. Да. Что-то такое типа
того. «Справедливая Россия», кажется.

Студент первого курса режиссерского факультета:
— Андрей Миронов — это актер, который учился в Щукинском институте, работал в театре «Ленком» у Марка За-
харова, ой, извините, в Театре сатиры и который дает для
многих начинающих и не начинающих актеров пример
того, как стать выдающимся.

Мальчик 10 лет, гуляющий по Арбату:
— Это кино «Бриллиантовая рука». Я посмотрел его
первый раз, когда сам сломал руку. Интересно. Мне захо-
телось, чтобы у меня так же было, когда я еще раз, если
будет такое, ну… случится если… чтобы мне тоже так за-
мотали. С бриллиантами. Да.

Алкоголик с уставшими глазами, 28 лет:
— Андрей Миронов? Сын знаменитых родителей!

Юноша, курящий у кофейни:
— Андрей Миронов? Актер, который снимался в фильме «Бриллиантовая рука». И также есть версия, что он был
разведчиком. У него было несколько заданий, он ездил
за границу от имени нашей страны.

Парень в ушанке, 30 лет:
— Это великий поэт.

Юноша в стильной рубашке:
— Хороший вопрос! Не знаю… Но вопрос хороший!

Парень в подземном переходе, 24 года:
— Ой, честно, я вообще-то вам не подскажу. Я сам не местный.

Молодой человек с модной стрижкой, 27 лет:
— Ой, боже ты мой! Я режиссер. Приехал из Молдавии снимать кино тут игровое. Я очень плохо знаком с российскими актерами.

Гость столицы, 24 года:
— Миронов? Не знаю, не помню. Еще вопросы есть?

Вот так. Грустновато, но факт.

> *В жизни есть закон могучий:*
> *Кто слуга — кто господин!*
> *Но рожденье — это случай,*
> *Все решает ум один!*
> *Повелитель сверхмогучий*
> *Обращается во прах,*
> *А Вольтер живет в веках.*

Это финальные куплеты из спектакля Театра сатиры «Безумный день, или Женитьба Фигаро», которые не успел допеть Андрей Миронов в Рижском оперном театре 14 августа 1987 года.

Между нами

Георгий Гречко

Александр!

Мы любим тебя за всю твою многогранную творческую деятельность на Земле, но особенно за эмоциональную поддержку нас в космическом полете.

Там нервное напряжение не знает границ — простой деловой разговор кажется оскорблением, а доброе слово воспринимается как награда. Такой наградой для нас был твой юмористический рассказ о гардеробщике, читающем по бумажке бухгалтерам лекцию о младенческих болезнях и периодически вскрикивающем «Ой, мамочки!».

Под это «Ой, мамочки!» с хорошим настроением и результатом прошел весь оставшийся полет.

Поздравляю с днем рождения!

Тебе уже 80, ой, мамочки!

Я

Космонавты первой волны — удивительная каста на Земле. Их было немного, и все они были первыми.

Жора Гречко — человек с огромным чувством юмора. Как-то, помню, после полета он выступал в Доме актера. И театральная элита задавала ему каверзные вопросы. В частности, его спрашивали, не встречал ли он там НЛО и инопланетян. Жора, посмотрев по сторонам, сказал: «Только для вас, для вашего узкого круга, умоляю, чтобы это не вышло за стены Дома актера, мы все давали клятву. Да, я видел НЛО». И он рассказывал, как мимо них пронеслось что-то один раз, потом еще раз. Мы с открытыми ртами слушали этот детектив. И в конце встречи Жора стыдливо сказал: «Ну, может, это были не НЛО, а контейнеры с мусором, который мы выбрасывали».

Космонавты были чрезвычайно популярны, а это страшный удел — невозможно ни от кого скрыться. Однажды в дом отдыха «Актер» в Ялте приехали Титов с Гагариным, которых на секунду отпустили из их крымской здравницы. А мы с ними дружили. Они бросились в бездну актерской богемы: молодые загорелые артисточки, вино. Но при их узнаваемости уединиться с артисточкой можно было только, если уволочь ее в горы и жить с ней, зацепившись за вершину.

Дмитрий Губерниев

Любимый Артист! Любимый Худрук! Любимый Театр! Александр Анатольевич! Ластонька Вы моя! Только благодаря Вам уверенно иду к сути. Пытаюсь, пока безуспешно, перейти на ликеры.

Преданный любимец Вашей жены
Дмитрий Губерниев

Я

Димочка меня всегда очень популяризирует. Он придумал, что я фанат биатлона. И заставил меня им стать. В каждом репортаже с соревнований любого ранга он передает мне привет, привязывая это к ситуации на лыжне. Когда ситуация не привязывается, он просто охает и говорит: «Ай-яй-яй! Кто же так стреляет?! Если бы Александр Анатольевич видел, как ты стреляешь, он, наверное, не взял бы тебя в Театр сатиры».

Вообще он очень находчивый и темпераментный. Я с умилением посмотрел, как в финале мужской эстафеты мы наконец взяли золото и там случайно или нарочно вместо нашего гимна врубили «Патриотическую песню» Глинки. Дима бросился к микрофону, жестами потушил гимн Глинки и а капелла спел наш гимн в сопровождении хора вооруженных лыжников.

Между тем

Меня теперь часто спрашивают о моей любви к биатлону. Когда постоянно менялось руководство Федерации биатлона, мне звонили: «При вашем фанатизме, может, вы станете председателем?» Я, конечно, люблю биатлон, но не до такой же степени.

До такой же степени я люблю баскетбол и футбол. В баскетболе я доигрался до 2-го юношеского разряда. А футбол смотрю с 12 лет.

В отношении футбола я ретроград. Поиски валютных легионеров — безумие. Я понимаю, что это система общемировая и в каждой команде есть пара чернокожих футболистов, но, когда выбегает негритянская команда «Шахтер» из Донецка и комментатор обзывает игроков «горняками», возникает ощущение, что они только что из забоя и не успели вымыться.

Уверен, придет когда-то время и будет уникальный наш футбол с игроками типа моих ушедших друзей: Льва Яшина, Игоря Нетто, Эдуарда Стрельцова, Валентина Иванова — всех не перечислить.

Я дружил с Валерой Лобановским. Наш театр был на гастролях во Львове, а он в то время тренировал «Днепр».

Я пошел к нему после спектакля. Их база находилась в блочном домике. Сейчас я смотрю — тренеры рисуют схемы на каких-то планшетах. А тогда я пришел в маленький, как келья, номеришко Лобановского, и вот картина: на полу, устланном газетами, стоит свеча и баночка с кисточкой, а Валера ползает на коленях и кисточкой на газете рисует схему завтрашней игры.

Сегодня над каждой звездой висит гильотина миллионных контрактов, а игра ушла. Осталась только работа, страшная работа.

Я думаю, футбол должен вернуться во дворы. Правда, дворов не существует. Мы играли в проходных дворах или пустой консервной банкой, или сшитым из тряпок мячом. Два портфеля были штангами. Так играли во всех дворах. И рождались Стрельцовы. А сейчас — «дефицит хороших стадионов».

Мы выигрываем у Андорры 6:0 и ликуем, а там в команде два бухгалтера, один пожарный и учитель, которого не отпустили, потому что у него продленные дни.
Но я думаю, что футболисты-любители из Андорры имеют огромное преимущество перед всеми профессионалами: их, очевидно, не мучают допингом.

Насчет допинга. Без допинга нечего будет смотреть! Эта статуэтка, красавица Маша Шарапова — глаз нельзя оторвать. Как без нее? Или Саша Поветкин — прекрасное русское, никогда, даже после 12 раундов, не побитое лицо… Да пусть они жрут что хотят.

Между нами

Михаил и Юлий Гусманы

В самом центре моего родного Азербайджана есть уникальные, воистину райские места — знаменитая Ширванская равнина и древний город Ширван. Мало кто знает, что старинный род Александра Анатольевича как раз из этих мест, и вплоть до Октябрьской революции, точнее, до прихода XI Красной армии в Ширван, семья Шуры носила ханскую фамилию Ширвандт, что означает «выходец из Ширвана». Предкам Александра Анатольевича, вынужденным бежать от преследований на бронепоезде, пришлось заменить букву «а» на «и» в своей аристократической фамилии. Так Шура стал Александром Анатольевичем Ширвиндтом.

С молоком матери он впитал неискоренимую любовь к земле своих предков, ее бурным рекам, бескрайним лугам и урожайным полям. С особой нежностью Шура всегда вспоминает любимый напиток своего босоногого детства — замечательный, ни с чем не сравнимый коньяк «Ширван».

С днем рождения тебя, прекрасный сын Ширвана!

Твой Михаил Гусман

Только один человек на свете может на самом торжественном собрании, на самом грандиозном празднике или на самом крутом юбилее так остроумно изрекать через губу слабоцензурные гадости, что переполненный зал заходится в веселой истерике, а объект аж визжит от счастья.

Заявляю это ответственно — не раз был свидетелем. И, что самое приятное, испытал на себе.

Юлик Гусман

Я

С Гусманами у меня катастрофа. Два брата такие разные и полюсно эрудированные. Но при всей своей разности и конкурентной борьбе за обаяние и значимость, говорят они совершенно одинаковыми голосами. Когда кто-нибудь из них звонит, я страшно боюсь ошибиться именем. Поэтому, до того как крикнуть «Здравствуй, Миша!» или «Здравствуй, Юлик!», я долго вынюхиваю, кто это.

Я атрибут застолья — как оливье в праздничном меню. Когда-то на круглой дате Юлика в элитном кабаке при не менее элитных гостях я выражался так: «Классик сказал, что наша жизнь — игра. Какая, в жопу, игра?! Сегодня наша жизнь — это рейтинг пребывания на тусовках. Первая позиция — это с улицы на сцену. Поздравил — получил — пошел вон. Вторая позиция — со стола на сцену и обратно к столу. Третья, высшая позиция, — не на сцене, а здесь, — пошутил и лично обнял. Очень важна рассадка. Передвижение в направлении центрального стола определяет значимость гостя».

Братья Гусманы добились всего. Ибо в их родственном и карьерном тандеме они чутко и четко дополняют друг друга. Юлика любит Масляков и ненавидит Михалков. У Мишки иное. К нему равнодушен Михалков, зато неравнодушен Киссинджер. Пороки у них общие. У них замечательные американские дети и запасная нефтяная Родина. Разница в существовании одна — Юлик не курит и не пьет, поэтому накопил денег на очень нынче подорожавшие аборты в связи с опасностью их запрещения. А Мишка тоже не курит, но попивает, из-за чего не выглядит младшим братом. Суммарно они намного старше и мудрее меня. Индивидуально — моложе и проще (хотел написать глупее, но вспомнил, что люблю их).

Михаил Державин

Дорогой Шурик! Ни для кого не секрет, что мы с тобой многое прошли: вместе играли, вместе снимались, вместе были в капустниках и концертах, вместе ездили на рыбалку, вместе выпивали, вместе отдыхали, вместе радовались и грустили… В общем, почти ничего не делали порознь. О чем я сейчас жалею, но поезд ушел.

Я

Трагедия нашего 70-летнего общения в том, что все эти годы Державин был моим молодым другом. Невыносимо. Мой молодой друг достиг 80-летия, а я перестал быть вечно старшим товарищем, и мы наконец превратились в ровесников.

Если вычленить из жизни нашего дуэта что-нибудь особенно нежное, то это рыбалка. Державин подсадил меня когда-то на этот наркотик. Он рыбак промысловый и наследственный.

Как-то на вечере пришла записка: «Если бы вы поймали золотую рыбку, вы съели бы ее?» Я ответил: «Отпустил бы с просьбой уговорить родственников лучше клевать».

Раньше мы брали палатку, садились в машины и перлись на Истринское водохранилище или в Рузу. Рыба тогда еще ловилась, и самогон покупался в проверенных местах. Потом постепенно перестали ставить палатки. Не потому, что палаток не было, а потому что, если поставишь, тебя ночью выкинут, вырежут, вые… — в общем, все на «вы».

Недавно одна журналистка попросила нас: «Расскажите о ваших увлечениях». «Мои увлечения все в прошлом», — говорю. «Я рыбалку имела в виду». — «Это — к Михал Михалычу».

Рыбалка — это отвлечение от невозможности увлечения.

Армен Джигарханян

Когда я пришел в Театр имени Ленинского комсомола к Эфросу, Ширвиндт был одним из тех лидеров, которые совмещали в себе мощнейшую созидательную энергетику и умение вести людей за собой, а это очень важное искусство.

Александр Анатольевич — истинный театральный лидер с лучшими человеческими качествами. Он очень помог мне, когда я только приехал в сумасшедшую Москву из маленькой и спокойной Армении — поддерживал меня, давал советы на репетициях. Не случайно, когда серьезно заболел Валентин Плучек, даже вопроса не возникло, кто будет теперь возглавлять Театр сатиры (а театр — это очень странное учреждение, особенно — русский театр, потому как там встречаются все великие вещи и все людские пороки). Ширвиндт — не назначаемый лидер.

Очень люблю Шурика осознанно и заслуженно. Это сильная, мощная личность с замечательным чувством юмора. И тем, кому повезло быть с ним рядом, ответственно заявляю: с ним надежно.

Желаю ему прожить столько лет, сколько он сам захочет, а мы будем все это время следовать за ним и восхищаться им!

Я

Как я завидую людям, которые маниакально увлечены своей профессией. Им так легко жить — при любом катаклизме ныряют в благодатную пучину призвания. Эталон — Армен Джигарханян. Когда-то кто-то придумал, что Джигарханян — советский Жан Габен. Бред, самоуничижение. Это Жан Габен — французский Джигарханян. Хватит вторичности — мы первые. В данном случае — стопроцентно.

Лев Дуров

Прошли с тобой огонь и воду,
Жлобам давали п...дюлей,
А трубы медные пусть оду
Вовсю трубят в твой юбилей!
Шекспир, Радзинский и Алешин,
Булгаков, Чехов, тот же Брехт
Нам руки жали! Лёве, Саше
Кричали «Браво!». Разве нет?
Сегодня крутишь ты махину,
Сатирой сотрясая мир.
А я сижу себе на даче.
А х...ли делать без тебя?

Вечно твой
Лёвик Дуров

Я

Лёвочка — один из немногих ушедших друзей, о которых я успел написать, сказать и поврать при их жизни. На даче он собственноручно выложил по примеру Лос-Анджелеса плиточную дорожку с именами друзей. К своей гордости должен сообщить, что Шварценеггера там нет, а Ширвиндта топчут.

Наина Ельцина

Дорогой Шура! Самые сердечные пожелания, самые душевные слова не могут выразить моего теплого отношения к тебе. Ты прекрасный актер, талантливый режиссер, отзывчивый друг, человек невероятного душевного обаяния. Твой проницательный, тонкий и острый юмор всегда бьет точно в цель. Я и вся наша семья ценим и любим тебя, как ценил и любил Борис Николаевич. Мы знаем, что всегда можем рассчитывать на поддержку по-настоящему большого человека — Шуры Ширвиндта.

Я

Наина — подруга моей жены. Она не может побороть в себе душевность, ностальгический демократизм, женственность без позы и талант искренности — антикремлевские качества. Если феминизм победит, то я хотел бы, чтобы эти победительницы хоть отдаленно напоминали Наину.

Между тем

Художник и власть. Какая власть, такой и художник. Это успокаивает. Но если какой художник, такая и власть, — это перебор.

Я никогда ничего для себя не просил и никогда не позволял своей вые (шее) принимать холуйскую позитуру перед вышестоящими, вышесидящими и даже вышележащими, что неоднократно наблюдал в фигурах самых оголтелых и знаковых оппозиционеров.

Всю жизнь я периодически левею не в ту сторону. Недавно журналисты меня спросили, какая у меня гражданская позиция. Я думаю, что гражданская позиция — это совестливость. А если совестливость отказывает, то яркая гражданская позиция проявляется на кухне или в Думе.

Сегодняшняя среднестатистическая личность соткана из мимикрии свободы, смешанных единоборств мировоззрений и гламурной религии. Патриотизм стал профессией — престижной и хорошо оплачиваемой. Свора патриотов (одних и тех же) со страниц разноцветных СМИ шастает на ТВ и обратно. Бесконечные барьеры с телеполемикой, где на пике очередной политической нужды, как из вольера, выпускают ненадолго что-нибудь типа Кургиняна, а потом стыдливо убирают до нового катаклизма. Телевизионные судороги патриотизма…

Я выборочно беспринципен. Беспринципность моя основана на убеждении, что могло быть хуже. Поэтому надо всеми силами держаться за то, что есть, если это не раздражает близких. Комфортность беспринципности во имя покоя. Для меня талантливая трусость гораздо милее бездарной смелости.

Всю хрестоматию довоенных лет, когда приезжали ночью машины и забирали людей, я помню. В 1936-м я год жил в поселке Сокол — меня отправили туда на всякий случай к русским друзьям.

Эмигрировавший в Америку Боря Сичкин потрясающе показывал Брежнева. Один в один. Боря был человек непредсказуемый. Когда кто-то представлял его на вечерах, он говорил: «А сейчас послушайте, как Ширвиндт пародирует Брежнева». Пленка с пародией Сичкина попала сюда и разошлась. Меня вызывали, и я клялся, что не умею показывать Брежнева.

Почти со всеми вождями нашей Родины я переобщался. Начал с того, что учился в одном классе (и до сих пор дружу) с сыном Хрущева, Сережей. Пил с Брежневым, шутил над Горбачевым — он на меня всегда смеялся.

После инаугурации Бориса Ельцина в Кремле мы с Державиным вели банкет. Собралась элита. Все поздравляли президента. Дошла очередь до Юры Никулина. Он рассказал анекдот. «Жена судовладельца показывала новый дом посреди Кракова. Трехэтажный, с большой лестницей наверх. В первом пролете сортир с серебряным унитазом.

Во втором — с золотым. В третьем — с платиновым. Пришли коммунисты — она обосралась на лестнице». Это Никулин рассказал на инаугурации!

Вообще, когда нарушается привычный протокол партийного этикета, то президиум просыпается. Во время гастролей нашего театра в Киеве великому украинскому актеру Марьяну Крушельницкому вручали какую-то премию. Он вышел на сцену в бархатной куртке и, обращаясь к членам ЦК Компартии Украины, не менее бархатным голосом на чистом русском языке начал говорить что-то неординарное. «Я тронут, я взволнован…» — ЦК напрягся. И он закончил: «Да здравствует наше замечательное правительство и совершенно потрясающий ЦК!»

Страсть любого поколения обливать грязью предыдущее — это какая-то обидная тенденция. «Все, что ушло, было фальшивкой, все, кто умер, были негодяями». А то, что эти негодяи и фальшивки являлись при жизни кумирами или якобы кумирами, это остается за скобками. Но все-таки я на своем веку видел людей, которые вызывали, вызывают и будут вызывать уважение. Я дружил с Евгением Максимовичем Примаковым. Что меня всегда потрясало в нем — он был человеком поступка. Узнав о решении НАТО бомбить Югославию, он развернул самолет над Атлантическим океаном и полетел обратно. Не велосипед, не кобылу, не машину! Сегодня страшно не хватает людей, которые могут развернуть самолет и полететь в обратную сторону. Обратное направление иногда лучше.

Между нами

Михаил Жванецкий

Александр Анатольевич!

Ты смотри!

Я только привстал, как ты занял мое место!

И тебе столько же лет.

Это напоминает заговор просветленных.

Птичка Ширвиндт! — это несерьезно. Все дело в мозгах.

Молодость — это энергия, талант, движение.

Старость — это мудрость, талант и опыт.

В старости есть маразм.

В молодости есть тупость.

Они всегда сменяют друг друга.

Живут на равном расстоянии от главного…

Но тому из нас, кто избежал и того и другого, будет что рассказать этой компании, называемой публикой.

За твой ум! Юмор! Талант!

Среди моего непрерывного питья нахожу время и средства, чтоб выпить за тебя!

Ты сыграл такую роль в моей жизни, что мы с Наташей за тебя!

За тебя! За тебя! За тебя!

Твои М. и Н. Ж.

P. S. И не считай ты, ради Бога… Когда Ему будет надо, Он покажет тебе часы.

Я

Мудрость — это тот же юмор, только облеченный в форму самоиронии.

С Михал Михалычем Жванецким дружить очень трудно, потому что он быстро устает от общения с кем-то, кроме себя. Предмет общения и радость встречи исчерпываются буквально через две-три минуты. Поэтому единственное, что можно себе позволить со Жванецким, — это помогать ему и делать ему добро. Мой вклад огромен. Выделю два момента. В городе Ленинграде, около гостиницы «Октябрьской», очень давно я стоял под дождем и ждал чего-то транспортного. Вышел Михал Михалыч с очаровательной высокой дамой и сказал: «Познакомься, это Наташа». Я отвел его в сторонку: «Миша, немедленно надо жениться. Это твоя судьба». Он женился и счастлив уже много лет. Второй мой вклад. Я член всего на свете и очень многих комиссий, в частности комиссии по присвоению всяческих званий. Сегодня звание получить очень трудно, потому что много инстанций. Сидя на одном заседании и обсуждая очередную подозрительную кандидатуру, я вдруг сказал: «А почему мы не дадим звание народного артиста Михал Михалычу Жванецкому? Он же выступает, собирает огромные залы. Да, он не артист по образованию, но необычайно артистичен». Все меня поддержали, и без предварительного сбора подписей от ЖЭКа до президента Михал Михалычу присвоили звание народного артиста России.

Между тем

Были мы с Михал Михалычем Жванецким в Кёльне в гостях на каком-то торжестве у наших друзей. Друзья очень богатые. Но эти богатые друзья никогда не могли себе представить степень заграничного безденежья своих знаменитых российских друзей. Поэтому сразу после банкета мы пошли в гостиницу относительно голодные и относительно трезвые. Сидя в номерах с грустными лицами, мы решали, что нам делать. Было уже около часа ночи. Я сказал: «Не волнуйтесь, все будет нормально». И отлучился. Через некоторое время я принес в номер Михал Михалыча на подносе замечательное разнообразие еды — бутерброды, фрукты. Так как у нас с собой было, мы прекрасно поужинали. Когда меня потом спросили, где я нашел деньги, я вынужден был объяснить, что настоящие жильцы элитных отелей, поужинав или позавтракав, выставляют недоеденное на подносах в коридор около своих номеров. Они схватились за животы, но я их успокоил: «Не бойтесь, надкусанных объедков я не принес. Собрал только то, к чему не притрагивались».

Я пьющий. Меня Саша Володин — он тоже был глубоко пьющим человеком — научил когда-то. «Ты говори так: "Если бы мы не пили, у нас над головой возник бы нимб. Для того чтобы были хоть какие-то недостатки, мы пьем"».

Пить надо исключительно по зову организма. Алкоголизм — отрыжка безнаказанности. Борьба с алкоголизмом — это утопия, как коммунизм.

В свое время существовала банда друзей, которая хотела жить по возможности раскрепощенно: в быту, загулах, автомобилизме, романах, капустниках, профессии. Никакой программы диссидентства никогда не было. Было только необыкновенное желание оставаться самими собой. При этом мы не забывали, где живем. Так, 7 ноября и 1 мая мы выходили на Красную Пресню. Каждый раз Марк Захаров это режиссировал. Андрюша Миронов жил в Волковом переулке, за забором зоопарка. Его балкон висел прямо над вольером буйвола. Мы, уже нетрезвые, шли от зоопарка вверх по брусчатке, по стопам революционных рабочих, и пели «Пока я ходить умею». Маршрут был — до площади Краснопресненской Заставы, потом направо по Пресненскому Валу до Белорусского вокзала. На углу находилась пельменная. С нами ходил наш друг, ныне американский писатель Александр Червинский по прозвищу Червяк. Он всегда был больной, не хотел ходить, но хотел есть. Добравшись до Белорусского, мы говорили: «Все, давайте заморим Червячка». Заходили в пельменную и на глазах стоявшего напротив Горького пили водку под пирожки с повидлом.

Как-то, прощаясь после гастролей с Болгарией, мы с Андрюшей Мироновым и Марком Захаровым, совершенно бухие, стояли на горе Витоша и, вспомнив примету, сожгли лев — одну бумажку, чтобы возвратиться в эту страну. Через какое-то время мы с Захаровым записались в туристическую поездку в Париж. И нас сняли с трапа самолета. Мы не могли понять, что произошло. Потом выяснилось: сняли за этот сожженный лев. Кто настучал? Мы были втроем и гора. Андрюша — исключено. Мы с Марком Анатольевичем на себя тоже стучать не стали бы. Мистическая история.

Актеры — цыганский табор. Все время зуд передвижений. Однажды Театр сатиры собирался на гастроли в Ташкент, где до переезда в Москву кумиром был наш Ромочка Ткачук. И кому-то пришла безумная идея — раз есть время, не надо лететь, надо поездом: четверо суток — раздумье, книги, интеллигентное общение. Грузились все чистенькие, с кулечками и сумками. Андрюша Миронов — с чемоданом-холодильником. У него первого он появился. И вот третьи сутки пути… Жара (кондиционеров тогда не было), в тренировочных костюмах с вытянутыми коленками пьяные творцы ползали по вагонам, как тени. Когда это всё приехало в Ташкент, на перроне стояли пионеры с зурнами — трехметровыми дуделами, и отцы города — с загорелыми рожами. Поезд пришел, а из вагона никто не выходит. Проходит какое-то время, первой выползает Валентина Токарская. За ней идет Георгий Тусузов — трезвый, но слегка шатаясь в силу своего почти 100-летнего возраста. Два человека, которые были во вменяемом состоянии. Дальше — тишина. Потом из вагона вытолкнули Ткачука. Ромка вышел и упал на руки бушующей толпе встречающих.

На сцене пить нельзя. Разве только для вдохновения. В спектакле Театра сатиры «Ревизор» мы играли чиновников: Спартак Мишулин, Ромочка Ткачук, Зяма Высоковский, Юрочка Авшаров, Державин и я. После сцены взяток чиновники до финала были свободны — там разборки шли между городничим и Хлестаковым. И мы в гримерных, чтобы расслабиться, выпивали. Зато с какими живыми глазами мы выходили в финале в немой сцене!

Пить сегодня стали меньше, потому что надо успеть перебежать от одного заработка к другому за максимально короткий срок. А для этого требуется твердая поступь.

Между нами

Марк Захаров

В Европейский суд по правам человека в Страсбурге
Копия — в Совет Безопасности ООН

Убедительная просьба восстановить историческое на-именование города Ширвиндта в бывшей Восточной Прус-сии (ныне поселок Кутузово) в связи с тем, что само слово «Ширвиндт» слишком любимо и дорого сердцу каждого рус-ского человека.

Художественный руководитель
Московского театра «Ленком»,
Народный депутат Верховного Совета СССР
двух первых созывов
Захаров М. А. и еще 348 подписей

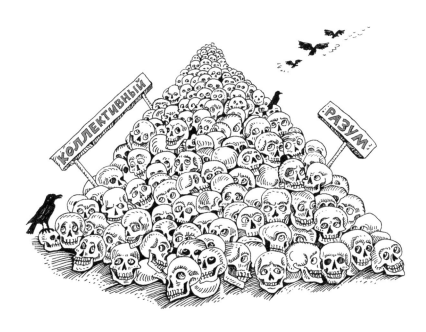

Я

Встречаемся с какими-то оставшимися друзьями, коллегами — их все меньше и меньше — и начинаем ощущать дикий дефицит близких. Как-то говорили об этом с Марком. Сидим на совещании. А с кем совещаться-то? Только друг с другом.

Правда, придумали коллективный разум. Что значит коллективный? Сваленный в одну кучу? Тогда получается огромная гора пустых звенящих черепов.

Я мечтаю совещаться с Марком как можно дольше. Для меня он непререкаемый авторитет. Авторитет завоевал сегодня другой смысл, а Марк авторитет во всех смыслах. Он интуитивно современен.

Владимир Зельдин

…Он уникален. Таких больше нет, таких больше, увы, не делают! Когда мы не общаемся с ним долгое время, нам чего-то не хватает в жизни. Чего-то важного и большого… Но стоит только увидеть его чуть усталое, всегда серьезное (снаружи) и такое родное лицо, сразу все встает на свои места. Всего этого никогда не скажешь ему, а на бумаге можно. Мы очень его любим!

Шура, Саша, Александр Анатольевич, будь с нами долго! Пример наглядный у тебя перед глазами!

Твои верные друзья Иветта и Владимир Зельдин

Я

Увы, наглядность улетучилась. Сначала Володя. Через три месяца Иветта.

Куда бы я ни приходил, всегда почему-то оказывался старше юбиляра, за исключением разве что Владимира Михайловича Зельдина. Когда существуют старшие, еще что-то мерещится. Когда они уходят, мираж исчезает.

Уникальность Зельдина была даже не в этом счетчике, а в том, что он был абсолютно молодым. Когда готовили его 90-летие, вечер режиссировал Юлик Гусман. Была репетиция поздравлений. Нас всех собрали в малом зале Театра Российской армии. Владимир Михайлович порхал по сцене, сбегал в зал, кого-то вынимал, снова взлетал на сцену: «А потом я выйду и — сюда, а потом подойду туда…» Юлик идет за ним к сцене — и на приступочку влезть не может. Я ему говорю: «Юлик, твоя задача сейчас — дожить до юбилея Зельдина».

На 100-летии Зельдина в 2015 году я сказал: «Володя, ты погубил нашу биографию. Первый раз мы поздравляли тебя в Доме актера с твоим 50-летием. И с тех пор каждые пять лет мы тебя поздравляем. С завтрашнего дня мы начинаем готовиться к 2020 году. Мы почитали документы, и выяснилось, что 10 февраля 1915 года, в твой день рождения, был первый в истории России немецкий погром: в Москве грабили немецкие магазины. С 11-го числа все вернулось опять к евреям. Один случай — в честь рождения Зельдина».

Кстати, это факт, а не выдумка.

В Театре имени Моссовета работала очаровательная женщина и режиссер Инна Данкман. У ее предков был престижный шляпный магазин на Кузнецком Мосту. Во время немецкого погрома, о котором мы вспоминаем, казаки шли с хоругвями вниз по Кузнецкому. Вся семья Данкман стояла около своего магазина с транспарантом: «Евреи! Евреи!» Погромщики уважительно кланялись и шли дальше: «Не ваш день».

Между тем

Я дожил до такого возраста и состояния, когда страшные сны заманчивее и радужнее действительности.

В спектакле «Орнифль», в котором я играю, есть такой текст: «Господь отворачивается от людей старше 70 лет». Я старше 70 лет.

В Театре сатиры был, как мне кажется, милый спектакль «Кабала Святош». Но я снял его с репертуара. Потому что я играл Мольера, а его похоронили за кладбищенской стеной в 51 год. А играть 51-летнего, когда тебе 80, — стыдно. Хотя русский репертуарный театр славится тем, что замечательные актеры играли молодых до упора.

Преодоление старения — это такое кокетство с самим собой. Все время думаешь: «Ну, еще ничего, еще ничего».

До шестидесяти было ощущение, что обойдется. А потом как прорвало… Наступает какой-то инфантильный маразм.

Сегодняшние старики судорожно пытаются вписаться в эпоху. «Не стареют душой ветераны…» Кому на… нужны эти души? Секонд-хенд. Старики должны сегодня ходить со счастливыми лицами, чтобы не настораживать молодежь и не провоцировать Думу принять закон о добровольно-принудительной пенсионной эвтаназии.

Правда, есть другая опасность: могут ввести пенсионный возраст — 95 лет.

У старости, кажется, только одно преимущество: в 80 лет пожизненный срок выглядит как условный.

Я в хорошей форме. С содержанием все хуже и хуже.

Старость — противная штука. Непредсказуемость недугов — смысловых ли, физических ли. Или мгновенная засыпаемость не тогда, когда надо.

Недавно пришла записка на вечере: «Вы очень хорошо сохранились. Дайте рецепт». Ответил: «Ой, ребята, если бы вы видели меня сегодня утром…»

Прочитал в газете совет кандидата каких-то стариковских наук, который рекомендует «проверять следующие основные биомаркеры старения: жесткость стенок кровеносных сосудов, уровни гомоцистеина, гликированного гемоглобина в крови, показатели гормонов, регулирующих метаболизм: IGF-1, лептин, кортизол».

Встаю с трудом утром и проверяю.

Я еще не хожу под себя, а просто плохо хожу. Перспектива развития.

Почему-то первыми отказывают задние конечности, потом сигналы скользят вверх и через антипотенцию, брюшину и сердце добираются до головы.

Уходящая натура… Плохо ходящая натура и уходит медленно.

Я очень стесняюсь стареть. Когда мне осторожно говорят: «Может быть, вам помедленнее, может, поменьше, пореже» — я с саркастической ухмылкой отвергаю эти радостные сострадания, а когда остаюсь с собой наедине, понимаю, что и реже уже трудно.

Старость бесперспективна и нерентабельна. Смысл доживания — оправдать судьбу.

Между нами

Александр Калягин

Пишу ли фамилию Ширвиндт, произношу ли вслух «Ширвиндт», говорю ли шепотом «Ширвиндт», всякий раз я отчетливо понимаю: это не просто фамилия, а совершенно уникальное явление. «Ширвиндт» звучит в России особенно и действует на меня и окружающих одинаково: национальное достояние. Все это понимают, независимо от конфессий, возраста и пола. Есть и другие достояния в нашей стране, и даже чуть более национальные, но Ширвиндт — особенный. Ему бессмысленно подражать, все равно не получится. Вместо него ввести кого-то другого в спектакль, в котором он играет, мне кажется, нельзя. Спектакль просто рухнет, в лучшем случае, станет другим.

Александру Анатольевичу нет равных по чувству юмора. На ринге острословов Ширвиндт одной левой уложит даже самого бойкого из них. В этом жанре его способен победить только он сам.

Его притягательность совершенно фантастическая: он может говорить просто о погоде, но его слушаешь, не отрываясь. Даже когда он сидит на совещаниях — недавно я это наблюдал в нашем Союзе, — от него исходит такая значительность, что его слово всегда кажется самым веским и самым главным.

Ширвиндт по-прежнему очень красив: высокий, статный, с прекрасной шевелюрой (это предмет моей особой зависти).

Ширвиндт — хороший человек, в этом я абсолютно убежден. В своем театре он не позволил никого обидеть, не афишируя, незаметно совершая свои добрые поступки.

Он всем говорит «ты», включая президента, и все воспринимают его «ты» естественно и как знак особого доверия. Быть с самим Ширвиндтом на «ты» — это же гордость.

И я тоже счастлив, что уже много лет мы с ним на «ты», что он — друг, очень важный человек в моей жизни.

Я

Калягин — человек-оркестр. Диапазон его талантов настолько широк, что не умещается в рамки временно́го существования: ему приходится постоянно одалживать несколько часов у подчиненных.

Между тем

Счастливый Петр Ильич Чайковский жил в эпоху устойчивого российского климата (имею в виду исключительно погодные условия без всяких, не дай бог, пошлых политических аллюзий) и вынужден был писать «Времена года» в четырех номинациях. Сегодня композиторам послабление: зима вычеркнута из обихода действительности и продленная осень плавно переходит в раннюю весну.

Не надеясь на погоду, мы сами создаем себе повседневный климат. Наш девиз — ни дня без праздников! День защиты окружающей среды (именно среды, почему-то День защиты окружающего вторника не празднуют), День защиты детей (график плавающий — в зависимости от конкретных обстоятельств в семье) и т. д. и т. п. Более значимые явления отмечаются не однодневно, а помесячно. Месячник безопасности движения, месячник борьбы с коррупцией, месячник отказа от абортов… Когда «месячные» заканчиваются, продолжается нормальная жизнь.

Явления глобального масштаба празднуются годами. Недавно торжественно или даже помпезно закрывали Год литературы. Сам президент в огромном зале совершал эту процедуру на фоне мрачной, но мощной декорации, представлявшей собой помесь «железного занавеса» со Стеной Плача, из которой торчали корешки книг, очевидно,

прочитанных за год. Как олимпийская эстафета, только без постоянно затухающих факелов, Год литературы плавно перешел в Год кино. Налицо явное пренебрежение к театру. На каком-то высочайшем форуме-кворуме наш любимый лидер Александр Александрович Калягин стыдливо предложил выкроить из летоисчисления какой-нибудь годик для театра. Но энтузиазма не вызвал.

И все-таки сдвиги есть. На самом высоком законодательном уровне, в Думе, занялись проблемой охраны прав режиссеров на авторство спектаклей. Вообще-то слово «охрана» сразу ассоциируется со складом боеприпасов, зоной или окружением испуганного олигарха. И вдруг — охрана авторских прав.

Права и обязанности! Чем больше население требует прав, тем суровее ему напоминают об обязанностях. Спектр участников совещания был широк: до боли родные лица коллег, антуражная стая театроведов, грамотные профессиональные специалисты из Минкульта... Все мудро ссылались на великую историю русского театра от Щепкина до Богомолова, пытаясь сохранить на лицах трагическое выражение. Вся эта двухчасовая заседательность умалчивала основное: почему художник по свету, сценограф, хореограф, композитор и, конечно, автор получают отчисления, а режиссер — нет. Тогда кто-то по наиву и редкости приглашаемости на высокие собрания вякнул о финансовой подоплеке полемики. Однако на него с гневом и брезгливостью набросились участники форума: «При чем здесь деньги?! Мы боремся за идею!»

В общем, надо перестать ханжить и срочно начать платить режиссерам авторские отчисления. Потому что, если режиссер забунтует, художник по свету, сценограф, хореограф, композитор и, конечно, автор могут остаться нищими.

1 марта очередной праздничный день — День кошки! Почему-то именно кошки, без кота. Хотя буквально через неделю страна отмечает 8 Марта. А 27 марта — Международный день театра. Как это у моего любимого Саши Черного:

> *Вчера мой кот взглянул на календарь*
> *И хвост трубою поднял моментально.*
> *Потом подрал на лестницу, как встарь,*
> *И завопил тепло и вакханально:*
> *«Весенний брак! Гражданский брак!*
> *Спешите, кошки, на чердак!»*

Конечно, можно зажмуриться и рвануть на чердак. Главное — там не насмешить.

Между нами

Филипп Киркоров

Уважаемый и любимый с детства дядя Шура!

С ранних лет самые радостные воспоминания у меня связаны именно с Вами. Помню, как я мальчишкой ждал программу «Утренняя почта», которую Вы вели с Михаилом Державиным. А спектакли с Вашим участием, которые я смотрел много раз, потрясали меня до глубины души. Мечта сыграть в Вашем театре (пусть даже дерево) живет во мне до сих пор!

Вы невероятный человек! Желаю Вам жить и творить 1000 лет!

Ваш вечный ученик Филипп Киркоров

Я

Когда 50-летний Филя вспоминает свои детские ощущения от меня, гандикап налицо. Филя — воплощение артистизма. Он красив, обаятелен, трудолюбив, умен и намного выше меня. В смысле длиннее.

Иосиф Кобзон

Дорогой Александр Анатольевич!

Без сатиры и юмора: мы тебя любим и будем любить всегда.

Твои поклонники — все Кобзоны

Я

Много лет назад был юбилей какого-то огромного нефтегазового месторождения — то ли Самотлора, то ли какого другого. И туда полетела команда известных артистов, чтобы поздравить газовиков. Руководил группой Иосиф Давыдович Кобзон, и он милостиво взял меня с собой. Надо было лететь на самолете, пересаживаться на вертолет, а потом чуть ли не на оленях ехать куда-то. А так как там круглосуточная вахта, то и юбилейный концерт шел круглые сутки. Одни выступающие и зрители сменяли других. Мы жутко опаздывали туда с этими вертолетами и оленями. И когда наконец добрались, был уже почти конец праздника. Композитор и режиссер Алексей Гарнизов, который устраивал это всё, в ужасе сказал, что он написал песню о газовиках и хотел, чтобы в конце Иосиф Давыдович ее спел, а мы поддержали, но сейчас уже не получится, потому что буквально через полчаса финал. Я в силу своего нахальства спрашиваю: «Ну что, Иосиф, слабо тебе выучить песню?» Он говорит: «На что заложимся?» «Американка», — предлагаю я. То есть любые пожелания. Иосиф Давыдович взял бумажку, отошел в сторонку. Там было, как сейчас помню, десять куплетов. Что-то типа: «Полгода днем, полгода ночью, сидят-гудят газовики». Просто какая-то жуть на две страницы. И музыка была аналогичная. Тут подошел к концу концерт, Иосиф Давыдович взял меня за руку, и мы в окружении всей банды вышли на сцену. Он подошел к роялю, дал ноты своему аккомпаниатору Алексею Евсюкову, и, держа меня за руку и глядя мне в глаза, наизусть пропел все десять куплетов. Утром мы пошли в распределитель. Они тогда были при всех месторождениях. Для того чтобы рабочие выдавали больше газу на-гора, им подкидывали какие-то дубленочки. Иосиф Давыдович, держа меня за руку, шел по этому магазинчику и тыкал пальцем в то, что я должен ему купить. В общем, он меня раздел.

Прошло лет двадцать пять. В Ялте, в концертном зале «Юбилейный», устраивали шоу, посвященное открытию памятника «Трубка Ширвиндта». И пришел Иосиф Давыдович. Он вышел в конце, поздравил меня трогательно. И я сдуру рассказал этот случай. Иосиф говорит: «Давай заложимся, что я ее сейчас спою». Я решил, что это немыслимо. Он взял меня за ту же руку, что и двадцать пять лет назад, и пропел «Полгода днем, полгода ночью, сидят-гудят газовики» — все десять куплетов. И я упал перед ним на колени.

Сергей Лавров

Снова стал взрослее Шура,
Но породу не пропить:
Те же голос и фактура,
Тот же шарм и та же прыть.

Шура — целая эпоха,
Всё познал он, всё прошел.
Знает, что такое плохо
И как это хорошо.

Если пьет, то не из кубка,
Ведь ему родней стакан,
И с притушенною трубкой
Выжидает, как вулкан.

Грянет час — взорвется Шура
Искрометно и легко.
Пить готов с ним политуру,
Водку, пиво, молоко.

В нем ни фальши, ни халтуры,
Он спасет святую Русь —
В телефонной книжке Шуры
Весь Советский наш Союз!

Я

Мой ушедший друг, великий переводчик и дипломат Виктор Суходрев рассказывал, что при разнообразных талантах Андрея Громыко тот обладал уникальным навыком спать в президиуме с открытыми глазами. Когда я подчас наблюдаю череду круглосуточных встреч мидовских сотрудников с главами государств и ведомств, конфессий и концессий, бесконечные перелеты с одной части света на другую, легкий переход с языка на язык, запоминание, как кого зовут и в чем нужно его на сегодня убедить или, на худой конец, обмануть, я вспоминаю советский анекдот: вчера Леонид Ильич Брежнев принял посла Индонезии за посла Индии и имел с ним беседу.

Сидит Сережа Лавров в очередном президиуме на очередном форуме в рамках очередного саммита и внимательно слушает говорящего, зная, что телекамеры не упустят ни зевка, ни безразлично-усталого лица, — всегда подтянутый, всегда высокий, всегда с шаляпинским тембром голоса. О чем он думает, делая вид, что вникает в смысл чьей-то абракадабры? Все прояснилось, когда несколько лет назад в доме приемов МИД мы оказались с Лавровым рядом за большим круглым столом в рамках «круглого стола» на презентации чего-то. Кто-то что-то говорит, обращаясь к министру, он понимающе кивает и шепчет мне на ухо: «В морской бой сыграем?» Тут я все понял: он гений.

Виктор Лошак

Я всегда подозревал, что Ширвиндт говорит всем «ты» не из фамильярности, а потому что хочет людей поощрить и подбодрить. Ну, представляете — приходит человек домой или в компанию и сообщает: «А я, знаете, теперь с самим Ширвиндтом на "ты"!» Ясно, как растут в глазах друзей и близких его акции. Как-то мы с Александром Анатольевичем оказались в делегации, приехавшей в одну закавказскую страну. В последний день была намечена встреча с президентом, а перед ней обед, на котором, кажется, был поставлен мировой рекорд по количеству тостов на единицу времени. В общем, во дворец президента мы явились после обеда. Там протокольщики нас долго расставляли в зале приемов, долго решали, в каком порядке президент будет жать руки: первому — Джигарханяну, или Ширвиндту, или, может быть, Швыдкому — и кто говорит от российской делегации ответное слово, и сколько по времени… После некоторого ожидания появилась охрана, а за ней и президент со свитой и вежливой улыбкой. В этот момент Александр Анатольевич просто смел все усилия службы протокола. Не дожидаясь церемоний, Шура обратился к лидеру государства с кратким спичем: мол, рады видеть, ждем тебя тут целых полчаса, мог бы уже друзьям и налить, а вообще ты-то как сам? И знаете, президенту понравилось. Он подхватил тон и шутку. И вообще, может быть, вечером говорил жене перед сном, мол, был в гостях тот самый Ширвиндт и мы с ним без всяких брудершафтов перешли на «ты». А жена, наверное, сказала: «Какой же ты молодец, я, как и весь народ, тобой горжусь — с таким человеком подружился». Не обязана же первая леди знать, что Шура со всем миром на «ты».

Я

Только с двумя людьми я был на «вы» — с Анатолием Колеватовым, директором Театра имени Ленинского комсомола, и с Валентином Плучеком. Со всеми остальными — с Зюгановым, Радзинским и Мольером — на «ты». Если кто-то возьмет это на вооружение, объясняю методику. Процесс осторожный и рисковый. Въезжать надо корректно. А не орать сразу «Здорово!». Это грубо и чревато. Надо сначала отбросить имя и на «вы», например: «Анатолич, а как вы…» Потом по-партийному: «Анатолич, я тебе так скажу».

В силу благоприобретенного опыта я действительно панибратствую довольно небрежно, что меня самого бесит. Но успокаиваю себя тем, что, с одной стороны, мало осталось людей, которых можно назвать на «вы», а с другой стороны, я уже так приучил всех к своему нахальству, что переучиваться поздно.

Есть горстка людей, которых я испуганно уважаю. Это семья Лошаков. Марина необыкновенно образованна, тонка, с замечательным вкусом. Она возглавляет Музей изобразительных искусств имени Пушкина, занимается искусством всего мира, а я, кроме мишек в лесу, практически ни одной картины наизусть не знаю. Я всегда стою или сижу при ней в уголке, смотрю на нее и слушаю. Что касается Виктора, то он с юмором, как и я, ироничен, как и я, грустен, как и я. Все остальное нас рознит. Он образованный и умный. И он гражданин. А я у него в этом смысле как подпасок. Это замечательная семья. Настораживает в ней одно: Лошаки — близкие друзья Швыдких.

Между тем

Опыт многолетнего нахальства перерастает в привычку и становится атрибутом «обаяния личности». Когда я по давнишнему навыку всем в стране «тыкал», оправдывая это искренностью, а не фамильярностью, потихоньку стал подбираться в нашем театре к Валентине Георгиевне Токарской и осторожно, вполсилы «тыкнул» ей. Она очаровательно улыбнулась и сказала: «Наконец кто-то вспомнил, что я молода и неотразима!»

Она всегда была царственна и иронично-великодушна. Сидит в актерском буфете, вынимает из целлофанового пакетика маленькое серебряное блюдечко с комочком творожка и, прежде чем употребить его в пищу, игриво смотрит на тебя и, показывая на комочек, хлебосольно спрашивает: «Ммм?.. Ну, как хочешь!»

Покой и невозмутимость во всем. Преферанс с Пельтцер и Аросевой. Мат-перемат звучит всю ночь: «Валя, зачем зашла с червей, когда я показывала бубну? Ты совсем ... ...?» — «Танечка, если будешь орать и выражаться, я буду играть с тобой только в подкидного дурака!»

Она все недуги переносила с сардонической ухмылкой, мурлыча старинный романс своего мюзик-холльного прошлого:

Ведь я институтка, я дочь камергера,
Я черная моль, я летучая мышь.
Вино и мужчины — моя атмосфера.
Приют эмигрантов — свободный Париж!

Неувядаемая женственность и шарм сопровождали Валентину Георгиевну до самого конца. В 1992 году Театр сатиры гастролировал в Баку с обозрением «Молчи, грусть, молчи…». Улетая на Родину, коллектив привычно проходил паспортный и таможенный контроль. Все прошли рамку металлоискателя благополучно. Зазвенела одна Токарская, вечно нашпигованная уймой конфет, обернутых фольгой. Усатые стражи гоняли Токарскую через рамку много раз, а она все извлекала и извлекала фантики из самых загадочных мест. Наконец ее обожаемому директору Мамеду Агаеву надоело наблюдать за мучениями Валентины Георгиевны, и он на чистом азербайджанском языке что-то сказал службам. Они не удивились, но восторженно отдали Токарской честь и пропустили на посадку.

— Что вы им сказали, Мамед? — настороженно спросила Токарская.

— Я сказал, что у вас звенит пружинка.

— Какая пружинка?

— Предохраняющая от беременности.

— Мамед, дорогой! На следующих гастролях придумай что-нибудь другое. В вопросах любви я всю жизнь обходилась без пружин. И даже иногда была счастлива.

Мемуары, мемуары, лживые факты, склеротические вымыслы… Публикуется безнаказанная грязь, ибо адресат ответить уже не может. Когда в этом потоке интернет-клоаки любители и умельцы натыкаются на такую глыбу, как Токарская, грозное перо выпадает из их рук. Ее величие и простота обескураживают. Сегодня, дожив до ее лет, я остро ощущаю некомфортность пребывания в нынешнем поколении. Максимум

эмоций — снисходительно-уважительная поза вынужден-
ного псевдопреклонения. Сохранить себя, гордо не за-
мечать болячек, иронично взирать на кипящую вокруг
действительность, по-королевски благосклонно, пусть
с некоторой корыстной хитрецой, принимать преклоне-
ние и заботу... Это — Токарская.

Когда в 1986 году к ее 80-летию я метался по инстанциям, пытаясь выбить для нее звание заслуженной артистки, все кивали и многозначительно пожимали плечами. И только через шесть лет, добравшись до самого верха, я был там подробно выслушан. Очевидно, уникальность Токарской произвела впечатление, и Валентина Георгиевна вопреки всем законам и правилам получила звание народной артистки, перескочив заслуженную.

Между нами

Владимир Меньшов

В середине 60-х годов я видел эфросовский спектакль «Мольер» в Театре имени Ленинского комсомола, где ты играл Людовика. До сих пор помню:

Мольер:

— Ваше Величество!

Людовик:

— Аюшки?

Вот это твое «аюшки» мы с Алентовой пронесли через несколько десятилетий. Это — без смеха — крупное актерское достижение.

Я

Когда вижу Володю (к сожалению, редко), всегда вздрагиваю и заранее пугаюсь — боюсь нарваться на правду. Единственное, что меня с ним примиряет, — это Верочка Алентова. Только великая женщина, замечательная умная актриса, необыкновенно манкая, может столько лет держать около себя этого монстра. А монстр он, потому что всё, что он делает в жизни и искусстве, крайне резко, крайне индивидуально, непредсказуемо и в основном нахально. Он меня любит. Или делает вид. А Верочка действительно меня любит и не делает вид. И это было доказано нашей многолетней дружбой и даже любимым нашим свершением — спектаклем «Чествование», который мы сыграли много раз.

Юрий Норштейн

Александр Анатольевич! Мой дорогой Шурка!

Товарищ Ширвиндт в дружбе верен, с коллегами дружен, ироничен, но не ради красного словца, без унижения собеседника. Мгновенный отклик на крик о помощи. Даже при невероятной славе остается приличным человеком. Прекрасный семьянин, муж, отец, дед и прадед. Уже можно фотографироваться с семьей на фоне гор.

Я тебя очень люблю, абсолютно бескорыстно, с ежедневным восхищением. Кажется, пока всё.

Я налил.

Твой Юра Норштейн

Я

Так и не придумал, как стать личностью. Очевидно, ею надо родиться. Хотя сколько «придуманных личностей» на моих глазах сумели убедить эпоху в своей уникальности. Но, думаю, что сами они на ночной очной ставке с собой понимали: все это туфта… Когда у тебя за плечами «Ёжик в тумане», суетиться не надо. А если, кроме ёжика, годами вынашивается гоголевская «Шинель», есть чего ждать и на что надеяться.

Елена Образцова

Тонкой, нежной натуре — Ширвиндту Шуре —
Пишу вновь про любовь.
Спасибо за лучший контракт в мире,
Служить мне теперь в Сатире.

Я

В ней все — мощно и, я сказал бы, вожделенно. Создал же Господь. Зачем забрал? Алчный и ревнивый. Не дал возможности долюбоваться и — к себе. И я не успел навосторгаться Леночкой. Не предвидел — думал, успею. Когда оказывался рядом с ней, сразу хотелось смотреть, слушать, целовать и даже потрогать. К нам в театр ее привел Рома Виктюк — сыграть. Казалось бы, для чего ей? Нет, ей надо. Неуемная, дикого темперамента и азарта — все интересно. Три «особи», одна другой экстравагантнее, собрались на нашей сцене в спектакле «Реквием по Радамесу»: Аросева, Образцова, Васильева. Более жуткий винегрет трудно себе представить. Каждая репетиция начиналась с диких скандалов. Ко мне в кабинет прибегал Виктюк и орал: «Все! Больше не могу. Не справляюсь. Пойдем!» Мы шли в репетиционный зал, «предвкушая» битву. А там сидят наши три красавицы, пьют коньяк и влюбленно смотрят друг на друга.

Леночка, Леночка… Гордость оперной мировой сцены, тонкая, терпеливая, трепетная, гениально-музыкально-эрудированная, изящно-остроумная. В ее элегантной сумочке — огромная записная книжка с матерными анекдотами.

Ольга Арцимович-Окуджава

Проклиная бездарность натуры,
Не умея, как вы, рифмовать,
Поцелуй от восторженной дуры
К юбилейному празднику Шуры
В знак любви умоляю принять!

Я

Подвиги преданных жен, типа идти за мужем в Сибирь (кстати, мало кто знает, что один из ведущих декабристов, сосланных в Тобольск, писал своему другу, узнав, что жена помышляет разделить с ним горькую участь ссылки: «Она мне хочет каторгу испортить»), должны быть скорректированы временем. Сегодня доля и долг долголетних жен — постараться стать великими вдовами.

Оля Окуджава, много лет бережно сохранявшая переделкинскую дачу как музей Булата, должна была прорваться к первому лицу страны на банкете в Кремле, чтобы сказать: «Отнимают дом-музей». И только после этого что-то сдвинулось.

Ушел Элик Рязанов — нависла угроза над киноклубом «Эльдар». Этот клуб — кровь, нервы, целеустремленность и преданность Эльдару Эммочки. Клуб сохранен.

Ирэн Федорова после трагической гибели Славы столько лет занимается только его памятью, создала клинику его имени. Зоя Богуславская открыла на Большой Ордынке культурный центр Андрея Вознесенского. Ниночка Светланова, вдова гениального дирижера, пианиста и композитора Евгения Светланова, что только ни делала, куда нас всех ни гоняла, чтобы появилась сначала памятная доска, а потом и улица Светланова.

Танечка Гердт своей энергией, своим мужеством и необыкновенным желанием добилась памятника Зямочке в Себеже, на его родине. Я был на открытии. Другого такого памятника я не видел — по настроению, по точности.

А Наина Ельцина? Волею гастрольной судьбы я был за две недели до открытия Ельцин-центра в Екатеринбурге. Там еще шли последние судорожные работы — успеть, успеть. На меня это произвело колоссальное впечатление. Я видел лица людей — подвижников, которые мечтали об этом мемориале. А сейчас какая чехарда вокруг

Центра! Никита Михалков покатил на него бочку. Позже Андрон Кончаловский сказал в Екатеринбурге, что мы братья — но все-таки разные. Он вспомнил, как одного из китайских коммунистических руководителей спросили: «Как вы относитесь к Французской революции?» — и тот ответил: «Вы знаете, всего 200 лет прошло, слишком рано об этом говорить». Это очень точно. Никто и никогда не знает, что останется. Но те, кого я перечисляю, надеюсь, не забудутся, несмотря ни на что. И в этом заслуга замечательных дам.

Константин Райкин

Дорогой блистательный Александр Анатольевич! С Вашим именем у меня ассоциируются три острейших впечатления моей юности. Спектакль «Снимается кино» в Театре имени Ленинского комсомола, спектакль «Счастливые дни несчастливого человека» в Театре на Малой Бронной и «Беда от нежного сердца» на нашем курсе.

Я Ваш всегдашний почитатель и фанат.

Котя Райкин

Я

Замечательный артист, замечательный руководитель замечательного театра для меня все равно Котя Райкин. Я помню трагические сомнения райкинской семьи по поводу его будущего. И как счастливый Аркадий Исаакович где-то в уголку говорил: «Обошлось, Котик увлечен математикой. Фанатично увлечен». Это увлечение математикой кончилось тем, что он окольными путями поступил в Театральное училище имени Щукина и стал Райкиным.

Он человек эмоциональный, рефлектирующий и необыкновенно внутренне собранный.

Недавний съезд Союза театральных деятелей. Масса острых нерешенных проблем, но Райкин темпераментно и гневно говорил о том, что цензура пошла по стране и все задыхаются.

Конечно, грустно. История ничему не учит. Опять все возвращается, пока, правда, с некоторым анекдотическим акцентом. Потому что когда депутат Думы, бывший чемпион мира по мордобою, говорит, что сталинских репрессий не было, а Солженицын, наоборот, был, но был при этом агентом ЦРУ… Или другой, с виду вполне интеллигентный депутат осторожно справляется, не пора ли реанимировать в России черту оседлости, а потом со слезами на глазах уверяет, что его неправильно поняли, он имел в виду татаро-монгольское иго… Или зашитый в кожу со стальными заклепками мотоциклист недоволен постановочной концепцией «Тангейзера»… Пока что все это вызывает кривую ухмылку. Пока что.

На этом фоне гневный спич Константина Аркадьевича на съезде СТД выглядел несколько преувеличенным. Было ощущение, что накал неадекватен поводу, но потом я вспомнил великое предостережение: «По ком звонит колокол, он звонит по тебе». Даже если сейчас звонят не колокола, а колокольчики. И если бы кто-то стыдливо про это промямлил, никто бы и не заметил. А когда Котик с высокой трибуны на весь мир прокричал, что давят, все услышали и взбаламутились.

Юрий Рост

*А я в тебе, Шура, люблю не твое остроумие, искромет-
ность и веселый полемический дар, а обаятельную отстра-
ненность и скрытое уединение, чтобы не сказать — оди-
ночество души. Ты придумал себе блистательную защиту
от вторжения и пользуешься ею безупречно, охраняя цен-
ности, не модные сегодня, старорежимные даже: верность
друзьям и любви, настороженную чуткость и способность
помогать...*

*Ты, Шура, эту землю не портишь. Цвети, цвети, не жди
плодов. Процесс важнее результата.*

*Обнимаю,
твой Юра Рост*

Я

Уникальный журналист, редкий фотостилист, брезгли-
вый до аскетизма в выборе современников. Эти несовме-
стимые таланты хранятся в Юре Росте. Вдруг просто, без
даты, повода, события или случайной встречи, он набро-
сал пронзительно-индивидуальное эссе и опубликовал
не где-нибудь, а в «Новой газете», что для моего старого
лица особенно ценно, учитывая, что он подкрепил текст
для страховки блистательной фотографией, которую милостиво разрешил поместить на обложке этой книги.

Снова Юрий Рост

Ширвиндт и молоко

Он режиссер, он актер, он драматург и главный зритель тоже он — Александр Анатольевич Ширвиндт. Конечно, есть и другие зрители. Восторженные. Потому что пьеса под названием «Шура» идет уже лет шестьдесят. С аншлагом. И не важно, сколько народу в креслах. Тысячный зал или единственный собеседник с рюмкой. И конкурентов на исполнение главной роли у него нет.

Помните выражение академика Ивана Павлова о том, что молоко — изумительная пища, приготовленная самой природой. У нобелевского лауреата есть и другие мысли, но они не так близко связаны с феноменом Александра Анатольевича Ширвиндта, который, на мой взгляд, изумительный актер, приготовленный самой природой. И только ей. Как мы знаем, есть и другая пища того же Повара, и есть другие актеры, созданные без их собственного участия. Однако белое молоко и блистающий Шура — это то, что соответствует обозначенному на этикетке. Молоко может, разумеется, прикинуться кефиром, сыром, творогом, мацони, даже поучаствовать в очистке водки, но основная роль молока — молоко. А Александр Анатольевич может предстать художественным руководителем независимо ни от чего посещаемого театра, а на сцене, на экране и в своей книге умно и большей частью достоверно изобразить какую-то другую жизнь, но основная роль Ширвиндта — Ширвиндт.

Он остроумен, парадоксален, талантлив, вальяжен и в известном смысле безразличен к тому, что не создано им самим на наших глазах. Слушать его — наслаждение, а смотреть на него — удовольствие.

Своим невероятным обаянием он переигрывает любых режиссеров и авторов, сохраняя за собой право оставаться самим собой, в каких бы одеждах ни представал пред нами на сцене или на экране. Экрану и сцене это нравится не всегда.

Он дружит для собственного удовольствия, а выигрывают и друзья, потому что доброе участие в чужих судьбах ему не обуза, а радость.

Для собственного удовольствия он ловит рыбу на Валдае (не столько он ее вылавливает, сколько, собственно, сидит с удочкой, покуривая трубочку, на берегу), а выигрывает не только семья и близкие, но и сама рыба. Общаясь с Шурой, какой-нибудь окунек или красноперка, разумеется, попадается на крючок (как и мы, впрочем). Но с этого привлекательного крючка совершенно не хочется сходить. Ну, мне, по крайней мере.

И играет он для собственного удовольствия. Раздал Создатель нам карты. Кому какие. И каждый выбирает игру. Кто бридж, кто преферанс, кто секу... А Шура играет в на первый взгляд простую, а на деле сложнейшую игру (спросите у профессионалов) — в дурака. Он не избавляется от карт, побивая старшей младшую, создавая иллюзию мгновенного (и временного) превосходства, а набирает себе полколоды карт и выстраивает кружевные комбинации, не унижающие соперника, но демонстрирующие красоту и остроумие его игры. Он не проигрывает, потому что не стремится выиграть.

...Хотя кто знает, что у этого природного Артиста и симпатичного человека внутри?

Опять я

Умилился и написал ему эсэмэску:

Буквально в метре от погоста
Наткнулся на объятья Роста.
Глотнув орально молока,
Решил пожить еще слегка.

Эльдар Рязанов

Есть другой Ширвиндт. Мой Шура. Не шутник. Не кавалер. Не актер.

…Полусонный, со спутанной шевелюрой, сильно небритый (а если честно, просто в бороде), в пять часов утра он прилежно сидит с удочками и напряженно вглядывается в воды Валдайского озера. Любимое место, любимое занятие, редкая возможность побыть наедине с собой.

К стыду своему, я не помню, когда и как мы познакомились. Знаю только, что за все эти прошедшие десятилетия нашей дружбы он ни разу не разочаровал меня, ни разу не подвел, в самые трудные моменты моей жизни всегда был рядом.

У Шуры нелегкая роль: он человек-праздник, и мало кто задумывается о том, что у него есть проблемы, заботы, сложности. Все ждут от него радости.

Неизменно твой Элик Рязанов

Я

Мы с Эликом сказали друг другу столько приятностей, что не хватит многотомника. И писали друг другу много всего. Вот, например, его автограф на книге «Эльдар-TV, или Моя портретная галерея»: «Дорогой Шура, в день твоего рождения дарю тебе мою книгу "ума холодных наблюдений и сердца горестных замет" безо всякой уверенности, что ты ее когда-нибудь прочтешь. Профессия художественного руководителя вырабатывает глубокую ненависть к печатному слову и процессу чтения как таковому. Может быть, ты полистаешь этот томик и полюбуешься картинками… К счастью, в твоей семье есть подлинно интеллигентный человек — Тата. Она прочтет. Я же желаю тебе всего самого превосходного в этот радостный для нашей родины день. Всегда твой Элик».

Между тем

Новый год. Страна, которая 70 лет металась между религиозностью и атеизмом, до сих пор толком не знает — 1 января он наступает или 13 января. Наши несчастные законодатели терзаются в сомнениях о количестве новогодних выходных дней. С одной стороны, с 1-го по 13-е многовато, но бюджетно-выгодно, с другой, население к 3 января пропивает все деньги, а порой и имущество, и до 13-го бродит бомжеобразными тенями по стране. Единственная отдушина истерзанной плоти народа — «Ирония судьбы, или С легким паром!». Мой великий друг спасал родину от похмельного синдрома многие годы.

Все близкие Эльдара всю жизнь его «худели», не понимая, что это не жир, а огромность личности. Витиеватые диеты — собственноручно нарезанный винегрет (который он строгал в таз, ибо кто-то ему сказал, что винегрет можно есть тоннами), отказ от всех злаков, сладостей и алкоголя — что в нашей тогдашней, еще довольно свежей богемно-дружеской компании было равносильно оскоплению. Когда воли, мужества и терпения не хватало, он ложился в заведение под ёрническим названием «Институт питания», хотя, кроме воды, никакого питания там не было. Я неоднократно навещал Элика в этом лепрозории, куда пускали выборочно, предварительно обыскав чуть ли не до раздевания — с мудрым подозрением, что визитер может пронести страдальцу чего-нибудь куснуть или, не дай бог, выпить. К чести пациентов нужно сказать, что, вырвавшись из застенков, они с ходу нажирались и напивались так, что потерянная в муках пара килограммов восполнялась с лихвой моментально. Очередная попытка Рязанова воспользоваться этой клиникой пришлась на конец декабря. Его выпустили перед Новым годом на несколько дней под расписку, взяв с него и близких честное слово о полной несъедобности существования. Я приехал к нему на Грузинскую, в квартиру, где он тогда проживал, поздно вечером. Он мне обрадовался и извинился за скромный прием: его родственники, не надеясь на нашу порядочность, вымели из дома все, что хотя бы отдаленно напоминало еду. Гостеприимный Элик влез куда-то очень глубоко, извлек бутылку 0,75 шикарного коньяка и потом, глядя голодными, но добрыми глазами, наливал мне этот божественный напиток, говоря, что хмелеет «вприглядку». Закуска была пикантная, но странная — в вазе торчал цветок под подозрительным названием калла. За нежными и долгими разговорами я выкушал

почти всю бутылку. Когда я стыдливо сказал Элику, что я за рулем и, может быть, хватит, он уверил меня, что уже ночь, гаишников мало и он даст мне японские шарики, которые напрочь уничтожают алкогольный запах. Доковыляв до руля, я двинулся в сторону зоопарка, чтобы оттуда переехать Садовое кольцо и попытаться доехать до своих Котельников. Раскурив трубку, я решил, что этого мало, и воткнул в рот еще и сигару. Калловое послевкусие вместе с японскими шариками образовало во рту такой букет, что возникла опасность извержения, но я опытно сдержался. Подъезжая в пустой ночной Москве к Садовому кольцу, я увидел, что из «стакана», очевидно, заметив нетрезвую походку моей «Волги», степенно вылез огромных размеров лейтенант и лениво, но грациозно поднял жезл. «Здравствуйте! — козырнул лейтенант. — Если нетрудно, выньте все лишнее изо рта! Ой-ой-ой-ой-ой…» — участливо пропел он, засовывая мои документы себе в карман. Ни приглашения в театр, что недалеко от места его работы, ни ссылка на мою популярность, ни осторожные намеки на денежную отмазку не подействовали. «Сейчас поедем на проспект Мира на освидетельствование. Запирайте машину. Где же это вы так?!»

Когда я признался, что навещал больного Рязанова, он внимательно посмотрел на меня и, перейдя на «ты», сказал: «Врешь!» — «Не вру!» — «Врешь!» — «Не вру!» — «Докажи!» — «Поедем!»

Он посадил меня в люльку своего мотоцикла, и мы отправились к Рязанову. Уже полусонный, в пижаме, Элик очень радушно нас встретил, подтвердил мое алкогольное алиби и подарил лейтенанту свою книжку с трогательной надписью: «Замечательному гаишнику, простившему моего грешного друга». Мы вернулись на перекресток, и я на своей «Волге», эскортируемый лейтенантом на мотоцикле, дошкандыбал до дома. Так мой незабвенный друг своей неслыханной популярностью спас меня в предновогодье от бесправного автомобилизма.

Между нами

Олег Табаков

Появилась одна дама, которая была мила и заботлива и среди прочего написала мне записку следующего содержания: «Дорогой Олег Павлович! Гоните от себя всех фанаток! У Вас все впириди!!!» Вот и у тебя, дорогой мой Шура, все впириди! И дай нам Бог здоровья!

Обнимаю.

Я

Раньше фанатки назывались сырихами. Были целые концерны поклонниц. Например, у наших великих певцов Козловского и Лемешева были поклонницы «козловитянки» и «лемешистки».

Сырихами они назывались не просто так. Это связано с магазином «Сыр» рядом с домом Лемешева, куда они в ожидании кумира ходили греться.

Сырихи мстили своим кумирам. Не дай бог тот обратит внимание на какую-то приехавшую из провинции девочку. Самая страшная месть была, когда они бросали сахар в бензобак. От горловины бензобака до последнего жиклера в карбюраторе все превращалось в сгусток кошмара. И надо было снимать всю систему. Один раз я имел такое удовольствие.

Я фанат Табакова, я его «сыр» — завидую всю жизнь белой завистью блистательному спектру его великолепных талантов.

Тата, жена

Надеюсь, что за 64 года существования нос в нос, при наличии внуков и правнуков у нас возникли и какие-то другие связи, кроме телефонных, которые не обязательно переписывать из сердец в телефонную книжку.

Я

Как-то меня спросили: «Какую роль сыграли женщины в вашей жизни?» Ответил: «Они играли все женские роли».

1957 год. Было первенство каких-то вузов по плаванию. Моя нынешняя жена, а тогда перспективная невеста, училась в архитектурном институте. Каждый вуз должен был выставить на соревнование пять пловчих. В команде архитектурного института не хватило одного разрядника, и ее взяли. Она позвала меня на трибуны болеть. Забыл, на какую дистанцию они плыли, но ясно помню: уже раздавали вымпелы победителям, а моя все еще плыла. Я один сидел на трибуне и ждал, когда она наконец доплывет. Она выплыла и держит меня на плаву уже 60 лет.

Что я умею делать по дому? Я мог бы, например, очень талантливо выносить мусор.

У нас в высотном доме доживают несколько ветеранов и есть совет подъезда, состоящий из старых большевиков. К Октябрьской революции и к 8 Марта они вывешивают в подъезде написанные от руки разноцветными карандашами трогательные бумажки с наивными пожеланиями. И в конце обязательно: «Желаем успехов в семейной и личной жизни».

Есть миллион исследовательских версий, почему Толстой ушел из дома. Моя простая: остое… постоянные нравоучительно-накопительные претензии многовековой супруги…

Какая безысходно страшная картина-хроника: Софья Андреевна, которую не пускают внутрь привокзальной

сторожки к умирающему Толстому, скребется в стекло домика, пытаясь что-то разглядеть. Весь мой жизненный опыт подсказывает мне, что она хочет прорваться к мужу, чтобы успеть сказать, как он в очередной раз не прав.

Владислав Третьяк
Каждая встреча с этим ироничным, обаятельным, непредсказуемым и остроумным человеком для меня — большой праздник!

Я
С разными видами спортсменов я дружил в своей жизни. Профессиональная принадлежность к тому или иному виду спорта всегда накладывает отпечаток на внешность, интеллект и словарный запас спортсмена. Владик совершенно выпадает из этого правила. Всю жизнь он занимался каторжным трудом защиты сначала советских, потом российских ворот. А когда снимал с себя доспехи, обнаруживал элегантного, интеллигентного и дипломатически изящного джентльмена.

В советские годы мы плотно дружили с хоккеистами. Анатолий Тарасов и Виктор Тихонов брали нас с собой на крупные соревнования. Это называлось «поддерживать дух». Банда была замечательная: Женя Мартынов, Володя Винокур, Иосиф Кобзон, мы с Мишкой Державиным... Помню, мы были в Канаде на первенстве мира. Там все хоккейные команды поселили в огромный отель и на обед и ужин собирали в одно время. И вот анфилада больших залов, и в каждом сидит команда какой-то страны. Между залами — двери. Шведы, финны, канадцы молча едят дозволенную еду — с суровыми лицами, поскольку выпить нельзя. А в зале нашей команды идет шикарный концерт — с шутками, смехом. И те ничего не могут понять.

Мишка Державин хорошо играл в хоккей. Он тогда был женат на дочери Буденного. Я привозил на дачу Семена Михайловича друзей-хоккеистов, и они играли двое на двое: Саша Мальцев с Державиным, а Валерка Харламов с моим сыном Мишкой. На даче в Баковке были каток, ворота и коньки. У Буденного угощали огромными

мочеными арбузами, которые хранили в погребе на льду. И в замороженный арбуз громадным шприцем закачивали водку. Ни одна мировая экспертиза не раскусила бы этот допинг.

Леонид Трушкин

Дорогой мой Учитель! Я изо всех сил старался научиться у Вас стать артистом. Но даже такому Мастеру, как Вы, не удалось помочь мне в этом. Потому что Вы, безусловно, Мастер, но, не сердитесь, все-таки не Господь Бог.

Ваше умение улыбаться по поводу несовершенства мира (а не гневаться на него) обескураживает меня, восхищает, вызывает нездоровую зависть, желание вслед за Вами повторить этот трюк... Ваши отношения с миром, несомненно, дар божественный. И еще один щедрый подарок преподнес Вам Всевышний: это Ваша Таточка.

Вы один из немногих, кого я отчаянно полюбил с первой нашей встречи в родном Щукинском училище и кого продолжаю любить так же сильно.

Всегда Ваше «дитя от первого брака» Лёнька Трушкин

Я

Лёня Трушкин — один из моих любимых учеников. Какие-то ученики забываются, какие-то очень долго существуют рядом с тобой. У Лёни сейчас свой личный театр, частный — Театр Антона Чехова. Он хороший, тонкий режиссер, эфросовский фанат. Но учился он на артиста. Лёня иногда вспоминает дипломный водевиль «Дитя от первого брака» в Театральном училище имени Щукина. Там он у меня репетировал главную роль. И на каком-то прогоне педагогический совет сказал, что он не может играть этого курносого белобрысого русского дитю, надо менять. Я тогда ответил: «Если мы, начиная со школьной театральной скамьи, будем снимать артистов с ролей, мы дойдем бог знает до чего. Потому что смысл образования в том, чтобы попытаться из студентов сделать артистов, а не снимать их с ролей на втором курсе». И Лёня замечательно сыграл.

Этого принципа я придерживаюсь всю жизнь. Никогда с ролей никого не снимал и не снимаю. Если взял на себя ответственность, то уж давай мучайся и доводи до конца. Звезд надо делать самим, а не брать уже горящих.

Между тем

В спектакле «Чествование», который поставил Лёня Трушкин, герой, которого играл я, должен был умереть от лейкемии, и собирались все его жены и дети. В конце спектакля героиня Люси Гурченко приходила к нему под видом сиделки, но потом скидывала с себя халат и парик: «Это я». И выяснялось, что это его давнишняя любовница. Лёня говорит: «Люся, тут придется показать грудь». Начинается крик: «Я? Грудь?! Я не девочка!» Перерыв в репетиции, она ведет меня за кулисы в самый дальний угол. Оглядывается — никого нет, и распахивает кофту. «Ну, как она?» — «Сказочная», — говорю. «Поклянись». И потом Люся раздевалась в спектакле — проверив на мне качество.

Когда Люся отмечала свое 70-летие, была масса телевизионных программ, а потом она собрала узкий круг самых близких друзей и в ресторане «Кино» устроила прием. Маленькая сценка пятидесятисантиметровой высоты. У рояля сидел Лёва Оганезов. Люся в змеином платье с талией 17 миллиметров вела это застолье. Ходила от столика к столику и каждому из своих друзей говорила мини-тост — объяснение в любви. Шикарно, разнообразно, весело и трогательно. Обойдя всех, она вернулась на эту маленькую сценку и сказала: «И конечно, я не могу не поблагодарить человека, который дал нам возможность сегодня здесь собраться». И назвала имя — уже не помню сейчас — Ефим Львович Штундерблюм. Из-за дальнего столика встает абсолютно квадратный с оттопыренными ушами лысый еврей и, задыхаясь, ползет к сцене. И не может влезть на эти подмостки. Люська спрыгивает вниз, чуть ли не на руках поднимает его к микрофону. Он говорит: «Дорогая Людмила Марковна! Для меня такая честь помочь вам в ваш юбилей. Знаете, я старый ваш поклонник. Я же помню: когда я учился в первом классе, ваша "Карнавальная ночь"…» Люся стала таять, и чешуя поблекла.

Очень много домыслов и предположений, отчего ушла из жизни Людмила Марковна Гурченко: ах, старые раны, ах, сердце, ах то, другое, третье. У меня своя версия, и я думаю, что я прав. Люся никогда — а я с ней дружил каких-нибудь пятьдесят с лишним лет — не позволяла себе стареть, не умела стареть и боялась. Всегда — осиная талия, всегда — 28 лет. И вдруг она почувствовала приближение старости. Ей стало неинтересно, и она умерла.

Между нами

Иван Ургант

Дорогой Александр Анатольевич!

Мы, барахтаясь на юмористическом мелководье, видим вдалеке идущий на всех парусах корабль по имени «Ширвиндт». Корабль, что, рассекая волны пошлости, глупости и безвкусицы, управляется капитаном, от одного выражения лица которого уже не можешь не смеяться.

И в каждом из нас живет самая заветная мечта: хотя бы на чуть-чуть стать попугаем, сидящим на плече грозного флибустьера, и, крича очередные глупости в ухо Мастеру, затаив дыхание, ждать его одобрительной ухмылки...

С нежностью, любовью и пронзительной завистью —
Ваш верный попугай Ваня Ургант

туу-ла-ра
на-ну-не
на-на
на-на
ши-но

Я

Самоуничижение — признак ума, ироничности и стыдливости. У «попугая» Ванечки замечательная наследственность — генетическая суммарная талантливость: дедушка — удивительный актер Театра комедии имени Акимова Лев Милиндер, бабушка — еще более удивительная актриса Нина Ургант, папа — искрометнейший импровизатор и актер Андрей Ургант. У каждого он нахально отобрал лучшее и сделал микс обаятельного существа. Поэтому старый попугай дядя Шура всегда счастлив видеть Ваньку с ощущением пронзительной зависти.

Сергей Урсуляк

Дорогой Александр Анатольевич!

При Вас я становлюсь таким, каким впервые Вас уви-
дел! Будьте здоровы!

Ваш ученик С. Урсуляк

Я

Сережка мог быть артистом, и даже неплохим, но пред-
почел стать замечательным режиссером, оставаясь при
этом трогательным, ранимым, интеллигентным человеком, всегда помнящим день моего рождения и с ним меня
поздравляющим.

Учениками надо гордиться, иначе педагогика — пустое,
безденежное и скучное ремесло. На протяжении моего
60-летнего преподавания ученики попадались разнокали-
берные. Но каждый раз так прикипаешь к ним за четыре
года, и они становятся такими родными, что рефлекторно
у худруков курсов возникает желание создать из своих выпускников профессиональный театр. Трагических приме-
ров — масса. Единственное исключение, по-моему, — это
Любимов и «Таганка», созданная из выпускников «Щуки».

Между тем

Боже мой! Сколько пикантных сплетен о том, как из комсомольского вождя, пронизанного советским патриотизмом кубанских казаков, возник Юрий Любимов. У меня своя версия, даже не версия, а позиция, и я с нее не слезу. К этой любимовской метаморфозе я приложил руку в прямом и переносном смысле.

В 1954 году мы, студенты третьего курса Театрального училища имени Щукина, регулярно призывались в различные массовки родного Вахтанговского театра. Небольшая группа студентов мужского пола, прилично владевшая шпагой, оказалась под знаменами Евгения Рубеновича Симонова, поставившего в то время спектакль «Два веронца». Мы играли лесных бандитов, которые подкарауливали главного романтического героя и под покровом ночи нападали на него со шпагами. Бой оказывался неравным, ибо молодых бандитов было человек пять, а герой был один — Юрочка Любимов, но... Великий Аркадий Немировский, как метко заметил Рубен Николаевич Симонов, «лучший артист среди шпажистов и лучший шпажист среди артистов», а по совместительству профессор кафедры сцендвижения «Щуки», так умело и лихо поставил этот неравный бой, что за пять минут Юрий Петрович раскидывал нас по кустам и победоносно двигался через лес к любимой. Однажды на каком-то рядовом спектакле

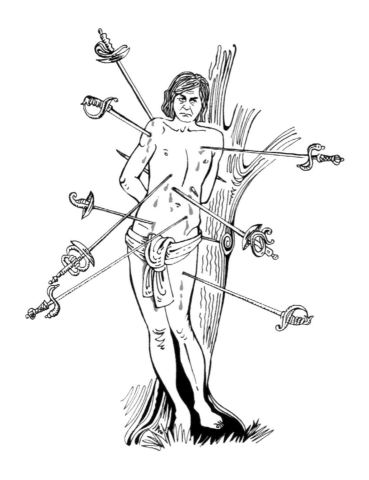

Юрий Петрович перепутал поставленную защиту, и я врезал ему по голове. До крови. К чести Любимова, он мужественно доиграл сцену на глазах ошеломленной публики, не ожидавшей такого кровавого натурализма в степенном советском театре. Медпомощь ему оказывали уже за кулисами, и приехавшая «скорая» даже зашивала рану. Так вот, я убежден, что именно от моего умелого удара что-то сдвинулось в голове Юрия Петровича, и он создал «Таганку».

Кстати, мы параллельно ставили два дипломных спектакля на четвертом курсе родного училища. Он — спектакль «Добрый человек из Сезуана», ставший фундаментом будущей «Таганки», а я — довольно популярный в педагогических кругах того времени водевиль «Беда от нежного сердца». Поэтому мой вклад в труппу «Таганки» — это мои студенты Аллочка Демидова, Алексей Граббе, Татьяна Сидоренко, Виталий Шаповалов и другие.

Какое несчастье, что мы с Юрочкой редко общались. Хотя, чем реже, тем радостней и искренней была встреча. Мы обнимались и даже всегда умудрялись выпить по рюмочке-другой, когда его Каталин случайно отворачивалась.

В наш век подозрительных святынь и безудержного бахвальства только подлинные документы (и то уже не всегда) могут подтвердить факты сосуществования человеков. Прилагаю письмо, адресованное мне:

Дорогой Александр Анатольевич!
Восторгаюсь! Мастером Слова и нахождения Образа и его воплощением.
Ты всегда — не идущий вместе!

Твой Юрий

P. S. Пойдем вместе и чего-нибудь найдем, а в России уж на троих всегда договоримся.

…Пройтись вместе уже, увы, не сумеем. Может быть, там, в Театре теней, мы встретимся с Юрочкой, что-нибудь выпьем, если там разливают, и он что-то для меня поставит. Очевидно, нетленное.

Между нами

Геннадий Хазанов

Глубокоуважаемый господин Ширвиндт!

Хотя мне правильнее было бы обратиться словами: Твое Превосходительство!

Это гораздо точнее выражало бы отношение к человеку, который сыграл в моей судьбе одну из ключевых ролей.

Конечно, очень соблазнительно эти поздравительные слова превратить в очередной опус о моей жизни, но я постараюсь обойтись без этого, хотя известно, что артисты — это люди, которые тебя не слушают, если разговор идет не о них.

Говорить о твоей уникальности — такая же банальность, как утверждать, что редкая собака добежит до середины Кореи.

Я хочу поблагодарить тебя за твое терпение, мудрость и братскую заботу, которую я чувствовал все пятьдесят лет.

Кто знает, если бы судьба не подарила мне встречу с тобой в 1963 году, может, я сегодня был бы уже каким-нибудь олигархом или агрессивным диссидентом.

Станислав Ежи Лец однажды заметил, что несгибаемая позиция — это временами результат паралича.

Но твоя несгибаемость уникальна тем, что всю свою жизнь ты исповедовал принцип: «Если не можешь жить в стране, которую любишь, люби страну, в которой живешь».

Спасибо тебе за этот главный урок, который ты мне преподал своей жизнью.

Всегда твой ученик Геннадий Хазанов

Я

Население наше сейчас из кого состоит? Из гастарбайтеров, председателей жюри и Жерара Депардье. Сидение в жюри — первый шаг к творческому забвению. Второй шаг — когда прекращают звать в жюри. Кто меня не раздражает во всех жюри — Хазанов и Ярмольник. Это логичная часть их дарования.

Я сам иногда влипаю, а в основном влипал в сидение в жюри. Но сейчас окончательно с этим завязал, потому что чувствую себя там необыкновенно неуютно. Но вот по случаю 55-летия КВН Саша Масляков уговорил меня как человека, который действительно был в одних из первых жюрях КВН, посидеть. Зрелище это было, конечно, и трогательное, и немножко наивно-подозрительное, потому что на сцену выходили несвежие «Новые армяне», а в жюри сидели не менее несвежие старые евреи.

«Точь-в-точь», «Один в один», «День в день», жюри, жюри, жюри… «Минута славы» — много это или мало? Если проецировать на вечность — маловато. А если учитывать ужасы кастинга и суровость судей, где сногшибательная Рената Литвинова, теряя свой загадочный шарм, косноязычно умиляется висящей на веревке малолетке, а увидевший первый раз в жизни симфонический оркестр Светлаков снисходительно журит, по его мнению, ничего ни в чем не смыслящих и старомодных Познера и Юрского, то тогда минута этой славы — это очень, очень много, почти космос.

Елена Чайковская

Гений!
Привет!
Как ты?!
Не знаем, чего тебе пожелать.
А чтоб так все и оставалось!
Это прекрасно!

    Твои Толик и Ленка Чайковские

Я

Как можно удержаться и не тиснуть в книжку такой возглас, как «гений!».

Всё, в чем я выхожу в свет, — это Ленкины привозы из-за рубежа: куртки, рубашки, обувь, кепки. Все это она в магазинах примеряет на мужа Толю, прибавляя на глаз 3–4 размера.

Моя жизнь — это:

Много недвижимости в коленке
Да пиджаки от Чайковской Ленки.

Между тем

У Чайковских всю жизнь — маленькие пуделечки, и все — Чама, Чама, Чама, Чама. Уже пятый или шестой Чама.

Я ставил в Театре сатиры спектакль «Слишком женатый таксист». Там по сюжету над квартирой главных героев живет пара милых «голубых», одного из которых зовут Микки. Второй прибегает вниз и все время в разговоре упоминает того: «Микки, Микки, Микки». В конце полицейский делает предупредительный выстрел в потолок, раздается страшный крик — это он попал в Микки. Когда я ставил этот спектакль, мы как раз приобрели собаку, вестхайленд-уайт-терьера. И назвали Микки. По примеру Леночки мы и следующую собаку тоже так назвали. У обоих Микки — одно лицо.

Микки (новый) нахален до предела. Очень обаятельный и страшно любвеобильный — абсолютно беспринципен в этом плане. Когда у нас в доме делали ремонт, то обнесли здание жуткими лесами, по которым ходили рабочие в шлемах. И если они шли через наш большой балкон, то Микки бросался к ним со страшным криком — целоваться. Он может зализать до смерти, если не оттащить, кого угодно — высотника, премьер-министра, бомжа. Идет человек, значит, нужно целоваться.

Особенно любит он Игоря Ширвиндта — так по паспорту зовут собаку Миши, в быту он Гоша. Чистокровная дворняга, но, видимо, в роду была такса, поскольку невысокая и очень длинная. Они с Микки все уступают друг другу, кроме хозяев. Как только Гоша положит голову кому-то из нас на колени, Микки с лаем и рычанием гонит Гошу: мол, у нас все общее, кроме этих.

Гоша не любит телевизор, а Микки смотрит часами молча, до появления животных. Тогда он бросается на экран, а если животное убегает, он мчится на балкон, думая, что оно убежало туда.

Я не верил, что собаки все понимают. Но это правда. Как-то проснулся летом часов в пять утра, и прошлый Микки тоже проснулся — сидит сонный и смотрит на меня. Я его спрашиваю: «Микки, может, творожку хочешь?» И он пожал плечами, мол, может, да, я еще не решил. Я обалдел.

Между нами

Михаил Швыдкой

Дорогой Шура,

ты, конечно, помнишь, как в дни нашей юности, года за два до твоего семидесятипятилетия, в ресторане Центрального дома литераторов, почти трезвые, так как были с женами, мы дали друг другу страшную клятву, что осенью возьмем напрокат машину и объедем всю Болгарию. Поскольку дело было в конце февраля, то до далекого сентября, как нам казалось, была еще целая вечность. Не могу сказать, что обсуждению этого грядущего болгарского путешествия мы посвятили весь вечер, но все же довольно долго рассуждали о том, на какой машине лучше ехать и из какого города разумнее выехать. Закусывая водку соленым огурцом, мы делились воспоминаниями о шопском салате (без лука, потому что ты его не любишь, — это я тебе напоминаю на всякий случай), спорили о том, какое мясо лучше жарить на скаре и какую рыбу можно выловить в Черном море прямо на леску — без спиннинга и удочки. Ну и, разумеется, перечисляли болгарских друзей — от Стоянки Мутафовой до Стефана Данаилова, которых надо будет навестить во время путешествия. Список этот, к ужасу наших жен, был огромен. Может быть, поэтому мы и не поехали в Болгарию семь лет назад. Хотя ежегодно продолжали мечтать об этом путешествии. Как известно, мечты продлевают жизнь, делают ее до конца

не завершенной. Просто время от времени о них нужно вспоминать, чтобы они не растворились в небытии.

Замечу, что ты еще многого не сыграл. Помнится, когда мы обсуждали спектакль, в котором ты мог бы сыграть любовников всех времен и народов — от шестнадцатилетнего Ромео до восьмидесятилетнего Маттиаса Клаузена, тебе казалось, что для последней роли ты слишком молод. Но теперь ты сможешь понять, что такое страсть восьмидесятилетнего человека к восемнадцатилетней барышне.

Как умудренный жизнью и сценой художник и человек ты стараешься не совершать лишних движений и не произносить лишних слов. Поэтому любая высказанная тобой частица, например «ну?», прорвавшаяся сквозь трескотню твоих молодых собеседников, воспринимается как страница остроумнейшего текста Оскара Уайльда. Но, отказавшись от всего избыточного, ты все-таки можешь сосредоточиться на необходимом. Если не для себя, то хотя бы для нас. Нет-нет, я не призываю тебя делать отчаянные глупости, не прошу тебя играть ни Лаэрта, ни короля Лира, но сыграть простого рабочего, нашего современника, который стал миллиардером и подарил все свои деньги бедным детям для того, чтобы они выучились в МГУ, ты можешь вполне.

Неизменно твой, Таточкин, Мишкин и т. д.
вплоть до правнуков и собак
М. Швыдкой

Я

Не могу понять, наблюдая Михаила Ефимовича, как это всё успевается, как это всё делается, как это всё перерабатывается. И как при этом он может оставаться внимательным другом. Вот давайте сообразим: он имеет два кабинета в самых высоких зданиях страны — это бывший ЦК партии и Министерство иностранных дел. И там он вершит какие-то очень государственные дела. При этом у него есть свой Театр мюзикла, который он выстрадал и которым занимается очень серьезно. Кроме этого, он меняет как перчатки передачи на канале «Культура», где стравливает интеллектуалов, а потом расшифровывает нам, что они хотели сказать, и всё ставит на место. Еще он курирует вместе с Катей Уфимцевой веселое застолье «Приют комедиантов», преподает в ГИТИСе, являясь доктором искусствоведения, и ведет колонку в «Российской газете».

Учитывая сложность фигуры, хочется как-то сформулировать свои отношения со Швыдким:

Мой дорогой и любимый молодой друг! В ожесточенной круговерти бессмысленности иногда возникает попытка осмысления жизни. Над этим, как известно, бились лучшие умы мироздания, но так ни к чему, кроме рефлексии, не пришли. Всегда восторженно удивлялся твоему использованию времени по графику невозможности. И то, что ты в своих 96-часовых сутках находишь время и силы на внимание и любовь к тем, кого внимательно любишь, обескураживает.

Думаю, что твои телевизионные передачи — это те интеллектуальные отдушины, которые тебе физиологически необходимы (как мне, например, «Щука»).

Находясь в состоянии «климакс-контроля» над собой и действительностью, шлю тебе острую благодарность и любовь, чего в силу многолетней ёрнической привычки не смог бы выразить вслух. Поэтому вынужден вспомнить падежи и знаки препинания и попросить кого-нибудь послать тебе какой-нибудь месседж, так как я этому не научился и посылаю всех по старинке.

Твой Шура

Миша Ширвиндт

— *Алло.*

— *Здорово, мудила!*

— *Это не мудила, это отец мудилы…*

Вот такой незатейливый телефонный разговор состоялся много лет назад, когда товарищи перепутали папу и сына. К счастью, случилось это не в моей семье, а в семье Антона Табакова.

Мой папа никогда так не сквернословит. Он сквернословит круче.

Богема…

Именно творчески-ироническое отношение к семье и, в частности, ко мне определило мою дальнейшую судьбу.

Благодаря папе я рос неучем. Созданная впоследствии телепрограмма «Хочу знать» была попыткой компенсировать чудовищные провалы в школьном образовании, возникшие по вине моего папы. Я поясню. С 1-го по 10-й класс родители проверяли у меня домашнее задание. При этом степень сложности заданий, особенно по точным дисциплинам, стала превышать их интеллектуальные способности к классу, наверное, третьему. Если мама проверяла мои ответы по учебнику, то папа на слух, больше полагаясь на свой педагогический опыт. Я раскусил его довольно быстро — понял, что нужно говорить складно, не запинаясь. Словом, не важно «что» — важно «как»!

Если это была география, то получалось что-то типа: «Базис эрозии при субконтинентальных провалах тектонически нарушал эндемическую ориентацию вертикальной зональности и… наоборот». Это «наоборот» всегда достигало нужного эффекта. Тут уж точно никак нельзя было возразить — лишь бы звучало слитно! Потому что стоило только запнуться, как папины глаза тут же открывались, он начинал бормотать: «Что-что ты сказал?» — ну и всё, приходилось

начинать сначала. *Вот так я сызмальства освоил актерское и ораторское мастерство. Можно сказать, впитал его с молоком отца.*

Вообще, яблоко упало недалеко от яблони (это, по-моему, придумал Ньютон). Кстати, в череде моих сумбурных импровизаций на темы разных предметов мне навсегда запомнилось уравнение Менделеева — Клапейрона для универсального газа. Оно звучит так: «пэ вэ равняется эм, деленное на мю рт». При этом «мю» — это число молей (!!!). Можете проверить. Я понимал, что ни при каких обстоятельствах не достигну таких вершин осмысленного бреда, как эти ребята.

Вот так по крупицам отец и сын собирали неподъемный багаж ненужных знаний. Так рука об руку и несем эту ношу по жизни, как Бойль и Мариотт, Менделеев и Клапейрон и даже Гей-Люссак (Гей — это часть фамилии). Возможно, яблоко с яблони так и не упало...

Я

Миша родился в августе. Я хорошо запомнил, что в Медовый Спас. Он был в роддоме, а я ехал с гастролей и вез в сотах мед — еще для роженицы или уже для сына, не помню. И в самолете я положил соты на полку, под которой висела одежда пассажиров. Когда мы подлетали, я ощутил медовый дождь. Схватил уже почти пустые соты и рванул с чистым воском из самолета, пока пассажиры слизывали мед со своей одежды.

Когда детям под 60, а внуки умнее и образованнее Вассермана… Индивидуальность, доведенная до аскетического абсурда, когда все жизненные потребности рассованы по карманам, не должна лезть на экраны ТВ и эти карманы прилюдно выворачивать.

Суть взаимоотношений с детьми и внуками — постоянное умиление. Правнучка бегает — четыре года. Такая зараза! Хорошенькая, умная. Обнимает и говорит: «Шура, — меня Шурой обзывают все, — что ж ты у меня такой некрасивый? Но я тебя и такого люблю!» Я умиляюсь: «Ты первая женщина в моей жизни, которая узрела во мне урода». Вкусы меняются.

Между тем

На детей и внуков надо зарабатывать. Каждая эпоха располагает разными возможностями. В советское время стойкие заработки у артистов были только в новогодние каникулы.

Ёлочная кампания — золотая жила для голодных артистов средней руки. С 30 декабря по 12 января действия разворачивались на всех площадках, отдаленно напоминающих сценические, начиная с депо Москва-Сортировочная, где среди гнилых шпал и ржавых костылей прыгали испуганные замерзшие зайцы, и заканчивая Кремлевским дворцом съездов, где вальяжный народный Дед Мороз, чуть-чуть отдающий дорогим коньячком, мирно беседовал со Змеем Горынычем в перерывах между представлениями.

Почти в каждом московском театре были свои «елочные бригады». В Театре имени Ленинского комсомола, например, в котором я начинал свой творческий путь, такой бригадой руководил милейший интеллигентнейший завтруппой Арсений Барский. Он сам был не чужд драматургии, и из-под его пера вышли многие новогодние нетленки. Так как новые дети все время откуда-то появляются (нет, появляются они все оттуда же, просто всякий раз свежие), сочинять новые елочные шедевры необязательно. Для них

и старые всегда — премьера. Дети менялись, а бригады артистов никогда. В Театре имени Ленинского комсомола бессменным Дедом Морозом работал обаятельнейший Аркадий Вовси. Под бородой и красным гуммозным носом была незаметна его не стопроцентная дед-морозовская национальность. Хуже обстояло дело со Снегурочкой. Ее многие десятилетия играла милейшая Козловская. А так как интернетом еще и не пахло, то определить, в каком веке Снегурочка родилась, было практически невозможно. И вот однажды Дед Мороз, ведя за руку внучку, игриво спросил ребят:

— Ну, кого я вам привел?

Дети в едином порыве закричали:

— Бабу-ягу!

Арсений Барский вынужден был внедриться в «классику» и изменить сцену. Теперь Дед Мороз выходил с внучкой и сурово предупреждал:

— Дети, встречайте! Это моя внучка Снегурочка!

И дети в испуге встречали.

Четыре елки в день… Добежать, успеть нахлобучить несвежую волчью шкуру и с доброжелательным оскалом выйти к детям. Полторы ставки за елку.

Теперь небольшой ликбез для нынешнего, в общем-то зажравшегося актерского поколения. Ставки! Театральный актер получал зарплату на «производстве» и всегда мечтал заработать в кино и на эстраде, где имел свою незыблемую тарификационную ставку. Тарификация — это не рыночная экономика — из кармана в карман, а стройная госсистема персонального присвоения вознаграждения. Сетка: 7 рублей, 9.50, 11.50, 13.50, 21 и заоблачные 25. А еще надбавки за мастерство — 25 %, 50 %, 75 % и космические 100 %.

Кроме того, артист удостаивался права выходить на эстраду отдельным номером, иметь одно отделение или целый сольный концерт. Чтобы дорасти до 100 % мастерства при 25-рублевой ставке с правом на сольный концерт, нужно было прожить три жизни или родиться Аркадием Райкиным.

В кино была иная тарификация: 10, 20, 30, 40 рублей за съемочный день. Еще существовала отдельная надбавка под названием «вождевые». Если Смоктуновский за Гамлета получал 40 рублей, то случайный артист, смахивающий на необходимого вождя, — 60.

Страшное время — это 11-е и 12 января, конец ёлочной кампании. Колонный зал Дома Союзов — самая престижная елка в стране. Главный Дед Мороз родины — артист Бубнов. Сороковое представление в последний день каникул, опаздывает Снегурочка. Испуганный Бубнов что-то рычит под елкой. Из-за кулис ему шипят:

— Займи чем-нибудь детей, она на подходе!

— Чем я их, гадов, займу?! — шипит в ответ Дедушка Мороз.

— Загадай им какую-нибудь загадку!

— Дети! — кричит Мороз. — Я получаю за каждую елку три ставки. Ставка у меня — 13.50. Три елки в день — сколько я имею в день?

— Сорок пятьдесят! — моментально орут смышленые дети.

— Ага, сейчас! — злорадно парирует Дедушка. — А налоги?!

На этой радостной ноте выбегает запыхавшаяся Снегурочка.

Артисты, не приспособленные к елкам, тоже мечтали подзаработать в Новый год. Помню (действительно, вспомнил), как в 60-е годы мы (мы — это я и два моих ныне покойных друга-сослуживца по Театру имени Ленинского комсомола: Всеволод Ларионов и Лев Лосев) провели ночь с 31 декабря на 1 января. Костлявая рука голода гнала нас в половине первого ночи в город Наро-Фоминск, где в закрытом (в прямом и переносном смысле) бункере должен был начаться в два часа ночи новогодний шабаш — предтеча нынешних корпоративов.

Снег шел бесконечный, большими хлопьями, как в дорогом детском спектакле, и мы на моем ржавом транспортном средстве по кличке «Победа», или ГАЗ-20, пробивались по Киевскому шоссе к источнику благосостояния.

Ни ночного автомобильного движения, ни указателей в тот каменный век еще не было, и ехать приходилось на ощупь с точным предупреждением, что Наро-Фоминск — это где-то километрах в 80 от столицы.

Через час езды мы стали сомневаться в верности выбранного нами пути в конкретном и философском смыслах. И вдруг метрах в 25-ти от обочины мелькнул огромный транспарант. Остановились, бросились, утопая по колено (а то и повыше — не знаю, как интеллигентно назвать это место), к указателю, дошкандыбали до подножия, а транспарант оказался на каких-то сваях, очень высоко и в темноте. Я мужественно доплыл обратно до шоссе, развернул транспортное средство фарами к транспаранту, и мы с умилением прочли: «ВПЕРЕД, К ПОБЕДЕ КОММУНИЗМА!» Ура! Мы едем в Наро-Фоминск!

Между нами

Георгий Юнгвальд-Хилькевич

Александр Анатольевич! Шурочка!

Друг дорогой, а помнишь, как ты вывозил меня пьяного из профилактория аэропорта Домодедово?

А помнишь, как я позвал тебя с Марком Захаровым в Ташкент и мы создали мюзик-холл Узбекистана?

А помнишь, как нас награждал своей премией комсомол Узбекистана?

Ну чего я стараюсь? Ты уж давно ни хера не помнишь…

Твой Хилл

Я

Юрочка, Георгий Юнгвальд-Хилькевич, был замечательным художником, работал в ташкентском Театре оперы и балета. Насытившись своим живописным амплуа, решил попробовать себя в режиссуре и успешно снял несколько очень разноплановых фильмов. Но профессию художника не бросил и только в Театре сатиры оформил три спектакля. Очень скорблю о нем.

Леонид Ярмольник

Из-за него, б…, я много лет занимаюсь идиотской и тяжелой работой. Кто-то называет ее профессией.

Что это за профессия, где всю жизнь надо учиться, пробовать, экспериментировать, выё… и унижаться, мать вашу?! Слава богу, я знаю, кто в этом виноват, и он ответит за подставу. Не раз спрашивал его: «За что?» Молчит, приятно ухмыляется…

Вроде я ему чего-то должен… Зачем ты жизнь мою исковеркал? Ответь!

Но с каждым годом все определенней понимаю, что в этой исковерканности, на которую ты меня обрек, и есть счастье моей жизни! Учитель, ну ты все понял? Я тебя давно простил! Звони, если что или ничего, шары покатаем!

Твой не самый х… ученик
Лёнька Ярмольник

Рисунок Леонида Ярмольника

Я

У Лёнечки уникальный рефлекс реагирования на беду — проверено десятилетиями. Казалось бы, зачем талантливому, состоявшемуся, богатому, благополучному супермену тратить драгоценное время на чужие горести? Не может удержаться — бросается на амбразуру чужих несчастий — страшный, несовременный порок.

Между тем

Меня недавно снимали для какого-то фильма, и Ярмольник пригнал к театру «Победу» — у него две, и обе в прекрасном состоянии. Народ собрался смотреть на «Победу», как на убежавшего из зоопарка ихтиозавра.

«Победа» — моя первая машина, 1957 года. На Бакунинской улице находился автомагазин. И там, словно в музее, за красной бахромой, стояли три машины — ЗИМ, «Победа» и «Москвич». И люди ходили, как в Эрмитаж, смотреть на них.

Покупались в то время только подержанные машины. У «Победы» была фирменная болезнь: постоянно летела полуось — штырь в заднем мосту, за который цепляли колеса. Конец полуоси был слабым местом, обламывался. Когда это случалось, машину ставили на доску, то есть вместо колеса — доска, и на трех колесах она ползла в сторону таксопарка, где ее ремонтировали. Сейчас кругом станции техобслуживания. А тогда ремонтировали в таксопарках. Они находились под мостами, а рядом стояли стекляшки — чебуречные. Не важно, с какой поломкой приехал, — тариф одинаковый. Лампочку сменить — пол-литра и два чебурека, задний мост — пол-литра и два чебурека. Но лампочку легко вынести из таксопарка: положил в карман — и иди. А как полуось вынести? Объясняю: полуось вставлялась в штанину, и работник таксопарка, как Зямочка Гердт, шел на несгибаемой ноге.

Если машину по блату загоняли прямо в таксопарк, чтобы что-то отремонтировать, то там застолье уже было совместным — клиента со слесарем. А сейчас на станцию нельзя входить, как в реанимацию.

У меня были, кроме этой «Победы», три 21-е «Волги» (все старые), две 24-е, штуки четыре «Жигулей», а потом пошли иномарки.

В 21-й «Волге» был диван. Когда его откидывали, машина превращалась в спальню шестизвездочного отеля. Мы ездили по молодости на рыбалку и спали ночью на трассе вшестером — четверо взрослых и двое детей.

Сейчас, когда я еду на автомобиле, главное — не заснуть за рулем. Пробки. Засыпаемость за рулем — это самое страшное. Особенно летом — в жару и духоту. А во время, когда мы даже не знали, что такое кондиционер, это была просто пытка. Помню, где-то в конце отпуска в театре я с обгорелым носом и огромной нечесаной бородой полз на 21-й «Волге» по Рязанскому шоссе в сторону Раменского. В Люберцах светофоры были через каждые 70 метров. Я постоянно засыпал, сзади сигналили. Совершенно обезумев и вспотев, я увидел, что впереди очередная огромная пробка, а на встречной полосе — никого. Я зажмурился, выехал на встречку и со страшной скоростью стал пилить. Проехав метров пятьдесят, заметил, как наискосок бежит с поднятой палкой не менее потный, чем я, сержант. Он прижал меня к обочине и, размахивая палкой, заорал: «Куда, б…? Ты что, о…?» Потом вдруг замолк, внимательно на меня посмотрел, опустил палку и сказал: «Слушайте, с такими нарушениями надо бриться».

Одни «Жигули» появились у меня после гастролей в Алма-Ате. Гастроли в те времена длились больше месяца. Мы рыбачили, жарили шашлыки. Во главе Казахской ССР стоял Динмухамед Кунаев. До сих пор помню его руки с длинными ухоженными пальцами. Его жена, восточная княжна, была театралкой. Они принимали нас у себя, и Кунаев рассказывал нам о жизни московских актеров в Алма-Ате в эвакуации, перечисляя всех поименно. Жена Кунаева, посмотрев спектакль «Безумный день, или Женитьба Фигаро», к удивлению и раздражению Андрюши Миронова, влюбилась не в Фигаро, а в графа.

Кунаев все время спрашивал, чем нам можно помочь. За неделю до конца гастролей наш главный администратор Геннадий Зельман прошипел: «Попросите машину». Машин тогда не было, и перспектив достать их тоже не было. На прощальном приеме Андрюша шепнул советнику Кунаева, нельзя ли купить парочку машин. «Никаких проблем», — сказал тот. И дальше нам сообщили, что выделены три машины — мне, Андрюше и Гене Зельману. «Оплачивайте завтра и забирайте». Ничего себе — оплачивайте завтра. Наши жены начали метаться по Москве и занимать деньги: «Жигули-шестерка» стоила в те годы около 9 тысяч рублей. Дальше была проблема, как переслать деньги. Если переводом, то надо было за него платить. Жены нашли по какой-то рекомендации честную стюардессу. В общем, деньги мы получили, заплатили и выехали из ворот магазина на трех «шестерках»: у Андрюши была коричневая, у меня — темно-синяя, у Гены — белая. Пригнали их к гостинице и сели думать, что делать, поскольку гнать их через всю страну 4000 километров — утопия. Нам сказали, что единственная возможность — это военный самолет. И решить этот вопрос может только командующий Среднеазиатским военным округом Дмитрий Язов. Мы с Андрюшей правдами и неправдами проникли к нему на прием. Вошли в кабинет. Сидит с виду абсолютный Скалозуб. Мы начинаем клянчить: «Тут такая история — мы хотели бы три машины...»

Он прервал: «Вы хотите, чтобы я предоставил военную технику...» — «Извините, извините». Мы попятились к двери. «Подождите! Сядьте!» Мы сели. Вдруг он спрашивает: «"Евгения Онегина" знаете?» — «Ну, так, немного». — «А я знаю всего "Евгения Онегина" наизусть». И вот полная приемная военных ждет, когда начальник освободится, а он минут сорок читает нам наизусть Пушкина. Во время чтения Язов, видя, что мы с восторгом внимаем его декламации, размягчился. Он вызвал кого-то из помощников и спросил, когда улетает генерал такой-то. Выяснилось, что послезавтра. «Сдвиньте его вещи и погрузите машины». И действительно в огромный самолет, полный барахла генерала, которого переводили служить в другое место, въехали наши машины. На рассвете перед погрузкой мы заехали на базар и загрузили машины арбузами, дынями и помидорами — они стоили там копейки. И всё это улетело. Летело оно трудно и долго, потому что генерал по дороге залетел еще в Ростов — взял кого-то, потом в Сыктывкар — отдал чего-то. За его полетом мы следили под теплую водку, созваниваясь с преданным нам начальником локации, — он рассказывал, где в данный момент находятся наши машины. Летели они несколько суток, за которые все наши арбузы с помидорами, конечно, потекли. Самолет приземлился на военном аэродроме в Подмосковье. Сейчас туда не подъедешь за сорок верст, а тогда моя жена с Мишкой и шофер Андрюши спокойно ездили по всему летному полю. Им просто показывали, махая руками: «А, вот там стоит». Подъехали они к самолету, из него выкатили машины — «Забирайте». Никаких документов не спросили даже при выезде с аэродрома.

Но это не конец истории. Через несколько лет стали проверять Среднеазиатский военный округ и выявили, что были отправлены машины. Кто-то нам сказал, чтобы мы срочно оплатили перевозку. Моя жена до сих пор хранит письмо и чек об уплате.

ШТАБ КРАСНОЗНАМЕННОГО СРЕДНЕАЗИАТСКОГО ВОЕННОГО ОКРУГА

20 марта 1984 года
Товарищам Миронову А. А., Ширвиндту А. А.
ТЕАТР САТИРЫ

Просим Вас до 1 апреля 1984 года оплатить стоимость перевозки транспортным самолетом ВВС САВО из г. Алма-Ата в г. Москва осенью 1981 года принадлежащих Вам автомобилей, переведя на текущий счет № 140323 воинский в Горуправлении Госбанка г. Алма-Ата 900 рублей (по 450 рублей каждый).

Начальник службы ВОСО
Среднеазиатского военного округа
Начальник финансовой службы САВО

Но и это еще не конец истории. В 1991 году случился ГКЧП. Маршал Язов вошел в его состав. ГКЧП проиграл, и Язов был арестован за измену Родине. Тут же появилась военная прокуратура и вспомнила о наших автомобилях. А у нас квитанция! Нас брезгливо отпустили, а Генка был партийный, и его выгнали из партии.

Я как автомобилист состарился, да и не знаю, как по Москве теперь ездить. Как-то внуки вызвали мне такси. Таксист, яркой таджикской внешности, спросил, куда ехать. Я сказал: «Я тебе все покажу». Тронулись. Говорю: «Прямо. Нет, стоп — "кирпич". Тогда налево». Он: «Налево нельзя, здесь одностороннее теперь». Когда четвертый раз мы заехали в тупик, таксист спросил: «Ты тоже не местный?»

Как-то после спектакля подошел ко мне внешне интеллигентный молодой человек и стал делиться впечатлениями. Довольно любопытно. Я, в свою очередь, спросил его, нет ли ощущения, что сегодняшний зритель менее внимателен и эмоционален. «Какие уж тут эмоции, — ответил он. — Сидишь и думаешь, эвакуировали машину или обошлось».

Москву посетила эпидемия тротуаромании. Пятидесятиметровые пешеходные пустыри со скелетами нераспустившихся деревьев и вставными челюстями прикованных велосипедов с одним-двумя вырванными зубьями вытесняют проезжие части проспектов, сужая эти сосуды до предынфарктного состояния. Ежу понятно, близится коллапс. Работы ведутся круглосуточно и отгорожены от глаз прохожих временными ограждениями с портретами Достоевского, Саввы Морозова, Пушкина, Высоцкого и др. Они, очевидно, призваны олицетворять поддержку буровых работ. Оранжевые муравьи с таким остервенением рыхлят мостовые, как будто они ищут что-то ценное, но пока что, кроме пары старых монет, ничего не нашли.

Вероятно, идеолог пешеходности в далеком детстве так набегался по дощатым сибирским мосточкам, что поклялся в дальнейшем покрыть плиткой всю столицу. Не прошло и ста лет, как сбылась елейная мечта лучшего и талантливейшего поэта — «через четыре года здесь будет город-сад». Создаем город-парк. Мощно и красиво. Но как добраться до работы, если ты еще вынужден ею заниматься?

Вообще с парком тоже надо быть осторожным. В моей юности на робкой волне педофилии распевали:

По аллеям центрального парка
С пионером гуляла вдова,
Пионера вдове стало жалко,
И вдова пионеру дала.
Как же так, вдруг вдова
Пионеру дала?
Почему? Объясните вы мне.
Потому что у нас
Каждый молод сейчас
В нашей юной прекрасной стране!

А автомобилисты, эти счастливые обладатели дорогих и не очень иномарок? Выражению их лиц за рулем позавидует любой актер, играющий танкиста в разгар атаки. Дорожное радио без конца весело информирует о повсеместной девятибалльной ситуации на дорогах и нежно предлагает искать другие пути, не расшифровывая, пути объезда или жизненного пути в целом.

Так что с парком надо повнимательнее.

Пешеходные зоны властно поглощают любой старомодный урбанизм. Население мечтает о балансе красоты и необходимости. Тем более что само понятие «зона» в нашей стране ни с чем радужным никогда не ассоциировалось.

На этом закрываю юбилейную телефонную книжку.

Между небом и землей

Я могу набросать портрет поколения. Но зачем? Мне кажется, сегодня наш опыт мешает.

В словарях типа Даля написано, что «на сто лет считают три людские поколенья». Так что у меня идет конец третьего поколения.

Мы — мое и предыдущее поколение — как жили? Мы не знали, что такое деньги. Была зарплата и сберкнижки. На этих сберкнижках лежали мистические сбережения, в основном, на черный день или похороны. Старички и старушки копили, чтобы их похоронили по-человечески. В остальном была коммунальная жизнь с кастрюлями борщей на неделю. То, что я ел при дефиците, я, стесняясь, ем и в изобилии. И считаю: носить нужно только то, что хочется, и старое.

Деньги появились в моей жизни уже в конце второго поколения...

Гениальный Перельман с авоськой молока и хлеба отказался от миллиона долларов не потому, что дебил, а потому, что вокруг дебилы. Стеснительная гордость...

У нас всегда было темное прошлое, жуткое настоящее, светлое будущее... Светлое будущее — где-то на горизонте, а он, как известно, удаляется по мере приближения.

Со времен Нерона, инквизиции, Французской буржуазной революции или Великой депрессии мы все время ждем чего-то неслыханного и делаем вид, что стало лучше. Помню, как на телевидении снимали спектакль Театра сатиры «Безумный день, или Женитьба Фигаро» — милый, изящный, бездумно-музыкально-танцевальный спектакль о треугольнике любви, где Бомарше позволил себе в конце монолог Фигаро о своей биографии. Фигаро говорит: «Все вокруг хапали, а честности требовали от меня одного, пришлось погибать вторично». Эту фразу вымарали на всякий случай, потому что могут подумать…

Не то Карякин, не то Афанасьев (не помню точно, кто из них, но оба Юрии, — я их очень любил и дружил с ними) сказал, что история с шестидесятниками, все их прекрасные порывы — это было ускорение внутри прыжка. Очень образное и точное определение состояния того времени. А сегодня, когда все давно уже приземлились, народишко пытается ускориться после прыжка — тупик и бессмыслица.

Я очень устал от этой страны. Но, во-первых, я ее целиком заслужил (целиком — я и целиком ее), а во-вторых, другой уже не предвидится.

Не так давно мы открывали памятную доску на доме, где жил Гриша Горин, на Горького (теперь Тверской). И вот в самом центре города появилась даже не доска, а фактически бюст Гриши. Там изображена его мудрая голова. Такой еврейский Сократ торчит посреди Москвы. И надпись: «Драматург Григорий Горин жил в этом доме». Думаешь: страна непредсказуемых нюансов.

Каждые полвека — ветер перемен. Обычно ветер перемен порывистый и мощный. Но ходить до ветру сегодняшних перемен надо дозировано и возрастно. А «пысать» против ветра перемен старческой струей — чревато.

Перемены… В наше время человек на трибуне не мог оторваться от бумажки, а теперь несет бог знает что — без бумажки и очень грамотно.

Сейчас спи с кем хочешь, мужикам даже венчаться можно друг с другом. А раньше люди сидели за это десятилетиями. Помню, возвращаюсь в «Красной стреле» из Ленинграда и попадаю в СВ с актером Фимой Копеляном. Сразу — коньячок, начинаем трепаться — редко видимся. В коридоре стоят два стройных мальчика — один в одном конце вагона, другой — в другом. Стоят, в окошко смотрят, друг с другом незнакомы. Поезд трогается, они ныряют в одно купе, закрываются. Мы пьем, дружим. Я говорю: «Фима, подумай — люди предаются этой пагубной страсти, рискуя свободой. Фимочка, живем один раз. Надо успеть попробовать». Он говорит: «Шура, я не смогу, я очень смешливый».

Вчера тебя сажали в тюрьму за валюту, сегодня — пожалуйста, держи миллиардные долларовые счета. Вчера нельзя было купить и перепродать — сегодня на этом строится весь наш бизнес. Но как жить без идеологии, без четкого государственного устройства? После того как мы решили освободиться от советского прошлого, мы ничего не создали, кроме эфемерных надежд. А вектора-то нет! И нет корней, потому что их все время выкорчевывают. А теперешние саженцы крайне подозрительны.

Сейчас модны новые канализационные термины: кастинг, тендер — как будто речь о промывании бачка. А когда я слышу слово «волнительно», у меня начинается сердцебиение. Нет такого слова в русском языке.

Шикарная голая задница при растянутой обворожительно-бессмысленной улыбке на рекламных щитах и монотонно-скучная пошлость существования — будешь тут сносить двери на выставку Серова.

Смысл нашей жизни заключался в том, чтобы не потерять себя в определенном узком кругу знакомых, близких, друзей. Этот узкий круг был достаточно широк. Но он был один. Сейчас время диктует корпоративную дружбу, ведомственную. Тусовки стали синонимом дружбы.

Я родился, жил, мужал, глупел и старился в Стране Советов. Хочу посоветовать человекам: на все позывы организма — физиологические, половые, социальные и творческие — нужно откликаться молниеносно. Любое промедление — а не рано ли, не поздно ли, не страшно ли и так далее — наказуемо.

Я никогда не начинал жизнь с чистого листа, потому что у меня его никогда не было. Все время на листе было уже что-то напачкано, и приходилось начинать с середины. А это трудно. Кроме того, в том, чтобы каждый раз начинать с чистого листа, есть колоссальный эгоцентризм: всё отмести и начать сначала. А шлейф предыдущих испоганенных листов куда деть? Выбросить? Это надо иметь большую силу воли и бессовестность. Утомительная цельность — выгодное, но очень скучное существование.

Меня часто упрекают во всеядности, беспринципности, нетерпимости к максимализму. Объясняю, не оправдываясь: в нынешнем незамысловатом «человеческом меню» я вынужден любить тех, кого не люблю, только за то, что их не любят те, кого я ненавижу.

С удивлением узнал, что человек на 80 процентов состоит из воды. Все меньше встречаю людей, наполненных родниковой водой.

Я ненавижу три параметра: глупость, скупость и жестокость.

Как говорил кто-то у Чехова и моя покойная нянька, все болезни от нервов. А нервы — это что? Нервы — это стрессы. А стрессы — это что? А стрессы — это жизнь. Поэтому я всю жизнь стараюсь себя обезопасить иронией. Но все-таки с годами накапливается огромный запасник негатива. Поневоле что-то остается в осадке и уже не вымывается ни иронией, ни юмором, ни скепсисом, ни цинизмом. Это превращается в такую корку, которую не размочишь ничем.

Тот же Чехов в письме к Суворину восклицает: «Боже! Как я себе надоел». Присоединяюсь к гению и робко добавляю: «Боже! Как я от себя устал». Выбрал лимит вожделений, надежд и мечт.

Очень люблю своих детей и внуков. Правда, не хватило мне мужества, чтобы быть им душевно необходимым. Они относятся ко мне, как к физиологической данности, без которой не проживешь, а хотелось бы.

Сегодня счастье для меня — это суммарное ощущение сиюсекундного относительного благополучия. Знаешь, где находятся внуки в данную секунду — ура! Коленка не болит — победа! На сцену идти не надо — радость! Скоро на рыбалку, уже есть путевка на Валдай — виват! И когда всё это соединяется вместе, думаешь: хорошо.

Еще счастье — это когда возвращаешься после спектакля домой, ноги совершенно не ходят (в театре-то бегаешь — прикидываешься), выпиваешь 56 граммов, снимаешь все атрибуты, плюхаешься на кровать, вытягиваешься и — я высчитал — 6 секунд полного кайфа.

Так что все время хочется дойти, раздеться, лечь и вытянуть ноги (слава богу, пока не протянуть).

Вернее, так: доехать или дойти и лечь, доиграть и лечь, допить, доесть и лечь, договорить и лечь, долюбить и уснуть. Вообще лежать в ногу со временем.

Я всю жизнь кому-то должен. И отсюда возник комплекс обязательности. С годами, а теперь уже с десятилетиями, люди, которым я должен, привыкли, что, если я должен, я отдаю. И тогда появилась новая претензия ко мне под названием «мало». «Что-то вы мало играете», «Что-то вы мало ставите», «Что-то вы мало преподаете», «Что-то вы мало зарабатываете», «Что-то вы мало пишете», «Что-то вы мало снимаетесь», «Что-то вы мало концертируете»… Но все в один голос: «Что-то вы много пьете». Ко всему этому я уже привык, поэтому хочется выпить еще больше, а больше выпить нельзя, потому что мало осталось времени.

Черчилль был стопроцентно уверен, что в Галактике существует масса других цивилизаций и что Земля, мягко говоря, не самая удачная. Тем не менее не ушел в индивидуальный монастырь, а азартно-мудро и тщеславно пытался управлять этой несовершенной планетой. Я не Черчилль, но тоже скучаю.

Мне кажется, что цивилизация накрывается. Я имею в виду не строй, не Подмосковье или Гваделупу. Мне кажется, эта планетка себя изживает. Раньше тарелки прилетали, мы их называли НЛО, а сейчас оттуда просто стали бросать в нас камнями. По-моему, им надоело видеть это безумие.

Все чаще задают вопросы про мир иной. Как-то спросили, что я сказал бы родным и близким, уходя. Я вспомнил, как сын Игоря Кваши, Володя, сегодня врач и предприниматель, еще учился в школе, в третьем или четвертом классе, и получил задание написать сочинение на тему «Что сказал бы Ленин, если бы сегодня проснулся?». Были разные варианты, а Володькин — за что Квашу вызывали в школу — был такой: «Он очень удивился бы». В мир иной надо или верить, или нет. Если не верить, страшно. Если верить, еще страшнее.

Владимир Познер в своей программе тоже спросил меня: «Оказавшись перед Всевышним, что ты ему скажешь?» Ответил: «Попрошу его разобраться с религиями»…

Умирать надо неожиданно. Но есть опасность не увидеть, например, чемпионат мира по футболу, не пожить при коммунизме, не дотянуть до окончания падения рубля.

Как-то мы были с Театром сатиры на гастролях в Виннице. А под Винницей, в мавзолее, лежит Пирогов, как живой. И вот конец гастролей, все бухие. Нас провожают на вокзале. Отцы города кричат: «Приезжайте к нам еще!» И Толя Папанов кричит в ответ с подножки вагона: «Обязательно приеду. У вас замечательно бальзамируют».

Недавно составил список необходимых вещей в дорогу ТУДА.

Если в ад:

1. *Противоипритную куртку с капюшоном (если в говно).*
2. *Полено сырое (если в огонь).*
3. *Коллегию Минкультуры (для общения).*
4. *Портрет жены.*

Если в рай:

1. *Опарыш искусственный (на случай райского клева).*
2. *Грим (для Театра теней — все любимые партнеры уже там).*
3. *Шпроты (на первое время).*
4. *Наколенники (гулять по райским кущам).*
5. *Стихи Саши Чёрного (чтобы не забыть).*
6. *Мобильник оплаченный (для связи с внуками).*
7. *Портрет жены.*

Никак не могу сформулировать для себя смысл земного пребывания: животное ли только начало или смысловое? И кто этот смысл не для амёб запрограммировал?

Смысл — остаться в веках? Или хотя бы в пятилетке после конца? Напротив Большого театра стоит памятник основоположнику. Его голова, как засранная голубятня, олицетворяет относительность бессмертия. Да и к чему оно? Все равно, очевидно, не узнаешь ТАМ, состоялось бессмертие или нет. Да и что это за бессмертие, когда ты сдох? А если ТАМ что-то и кто-то есть и ты будешь иметь возможность из-за черты новой оседлости наблюдать за земным бытом и услышишь, как вдруг о тебе разочек вспомнили после панихиды и, не дай бог, повесили над подъездом дома табличку, что ты здесь был и даже делал вид, что жил, — как воспользоваться этим триумфом, не имея возможности лично скромно поклониться и положить два цветочка на открытии своей доски? А если ТАМ ничего нет и ты этого не узнаешь, тогда вообще зачем?

Старикам иногда по утрам или при неожиданно удачном стуле мерещится хорошее настроение. И они надеются на искренность. К вечеру эти надежды рассеиваются. Нынче существует жесткий регламент скорби — от минуты молчания до вечного огня. Так что, если о себе сам не позаботишься, пиши пропало. Планета Земля в начале XXI века живет в стиле гламурно-кровавого шоу, поэтому уходить с нее надо радостно и с блеском. Ростки этого «жанра» возникли давно, аж в 50-х годах прошлого века. Был такой дико элегантный, бессмысленно-красивый, знаменитый чтец Всеволод Аксенов. Он сам написал подробный сценарий своих похорон. Я был. Панихида в Концертном зале имени Чайковского имела огромный успех…

Умер Алеша Баталов. Мы никогда закадычно не дружили, но раз в десять лет, случайно пересекаясь на маршрутах кинотеатральных передвижений, бросались друг на друга и восклицали: «Боже, надо чаще видеться!»

«Что имеем — не храним, потерявши — плачем» — вечный исторически-менталитетный лозунг нашей родины. Сегодня новая головная боль — не только не храним, но и не знаем, где, за чей счет и как похоронить. А уж об увековечить…

Материалы об ушедшем Баталове на денечек вытеснили из всевозможных СМИ очередную фотосессию раскляченной в шпагате балерины на пляже в Майами. В газетах ханжески-слезливо умилялись дачей-сарайчиком Баталова в Переделкине, где он десятилетиями не мог выдворить со своего участка въехавшую туда баню соседа. И наконец, за неделю до кончины он узнает в больнице, что, кажется, суд начинает склоняться в его пользу и баньку снесут.

Ищем всем миром деньги на памятник Тане Самойловой. Несколько лет играли благотворительные концерты и спектакли, чтобы воздвигнуть на кладбище памятник Лёвочке Дурову. Денег нет. Кто поставил памятник Петру Первому в Льеже? Может, у него попросить.

Я учился в элитной московской школе № 110 в центре Москвы, где на нас, как на кроликах, Министерство образования экспериментировало со средним образованием. Мы фрагментарно изучали логику, этику, эстетику, даже латынь. И это было не жуткое ЕГЭ — нынешнее клеймо на теле малолетки, а осторожная проба-эксперимент в одной школе. Кое-что запало навсегда. Например, латынь, которой я иногда судорожно блистаю в недоразвитых компаниях. Mens sana in corpore sano. «В здоровом теле — здоровый дух». С телами у нас все лучше и лучше: массовые забеги, футбол на Ледовитом океане, всенародная борьба с допингом. А вот с духом — проблемы. Мы не знаем, как реагировать на грудного ребенка, читающего в подземном переходе «Короля Лира». Что это? Безумие родителей или кастинг галкинской передачи «Алле, мы ищем вундеркиндов!». Может быть, честнее было бы положить перед ним шапочку с табличкой: «На памятник Баталову»?

Конечно, умирать надо вовремя, но как высчитать в наш меркантильно-прагматичный век, когда это вовремя, чтобы «благодарные» потомки тоже вовремя спохватились и поняли, кого они потеряли.

Доски на стенах жилья, памятники на кладбище, названия улиц, пароходов, самолетов, огромное количество музеев-квартир и книги, книги, книги… Страшно, конечно, переборщить с просьбами об увековечении. Мне, например, не хотелось бы, чтобы где-нибудь на окраине Сызрани вдруг возник Ширвиндтовский тупик.

Я прожил жизнь под девизом «Мы можем всё, нас могут все». В промежутках между этими позывами-призывами мы пытались оставаться людьми.

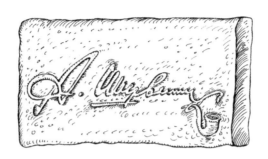

Литературно-художественное издание

Александр Ширвиндт
В ПРОМЕЖУТКАХ МЕЖДУ

Редактор Ю. Ларина
Технический редактор Л. Синицына
Корректоры Т. Филиппова, Т. Дмитриева
Компьютерная верстка А. Тарасова

ООО «Издательская Группа «Азбука-Аттикус» –
обладатель товарного знака «КоЛибри»
119334, Москва, 5-й Донской проезд, д. 15, стр. 4

Филиал ООО «Издательская Группа «Азбука-Аттикус»
в г. Санкт-Петербурге
191123, Санкт-Петербург, Воскресенская набережная, д. 12, лит. А

ЧП «Издательство «Махаон-Украина»
Тел./факс (044) 490-99-01
e-mail: sale@machaon.kiev.ua

www.azbooka.ru; www.atticus-group.ru

Знак информационной продукции
(Федеральный закон № 436-ФЗ от 29.12.2010 г.) (18+)

Подписано в печать 18.10.2017. Формат издания 60x100/16.
Бумага офсетная. Гарнитура «Charter».
Печать офсетная. Усл. печ. л. 13,2.
Тираж 10 000 экз. B-PRS-21800-01-R.

Отпечатано в типографии «ПНБ ПРИНТ» (SIA «PNB Print»)
«Янсили», Силакрогс, Ропажский район, Латвия, ЛВ-2133
www.pnbprint.eu

ПО ВОПРОСАМ РАСПРОСТРАНЕНИЯ ОБРАЩАЙТЕСЬ:

В Москве:
ООО «Издательская Группа «Азбука-Аттикус»
Тел. (495) 933-76-01, факс (495) 933-76-19
E-mail: sales@atticus-group.ru

В Санкт-Петербурге:
Филиал ООО «Издательская Группа «Азбука-Аттикус»
в г. Санкт-Петербурге
Тел. (812) 327-04-55
E-mail: trade@azbooka.spb.ru

В Киеве:
ЧП «Издательство «Махаон-Украина»
Тел./факс (044) 490-99-01
e-mail: sale@machaon.kiev.ua

www.azbooka.ru; www.atticus-group.ru